초등 연산의 기준

칸토의 연산

덧셈구구

"초등 입학 후 우리 아이가
해야 할 수학은?"

우리 아이가 초등학교에 처음 입학할 때의 모습이 떠오릅니다. 머리도 혼자 감지 못하는 아이가 벌써 초등학생이 되어 많은 아이들과 교실에서 생활한다니 대견스러우면서도 한편으론 '아이가 40분 수업 시간 동안 집중하며 앉아 있을 수 있을까? 소변이라도 보면 어떻게 하지?' 등등 고민이 한가득이었지요.

기대 반 걱정 반으로 하루하루를 보내며 아이는 어느덧 별탈 없이 학교에 잘 적응하는 모습입니다. 걱정이 사라질 즈음 아이는 학교에서 생전 처음 단원 평가라는 시험을 보게 됩니다. 7살 때 100까지 막힘없이 세던 우리 아이라 당연히 100점을 맞았을 거라 생각했지만 아쉽게 한두 개 틀려 옵니다. '실수라고, 다음에 잘하겠지.'라고 넘겨 보지만 100점 맞기는 쉽지 않습니다. 혹시나 해서 "다른 친구들은 어떻게 봤니?"라고 물으면 "누구누구는 100점 맞았어!"라고 자기랑 상관없다는 듯이 무심코 하는 말에 마음이 무너집니다.

아차 싶어 이제부터 친구 엄마들에게 학원, 학습지 등 공부 정보를 수집하며 어떤 선택이 우리 아이에게 최선의 선택일지 갈등과 고민이 시작됩니다. 공부란 것을 제대로 해 보지 못했던 우리 아이는 자기랑 맞지 않는 공부를 부모의 계획에 따르며 어느 순간부터 부모와의 감정싸움이 시작됩니다. 부모님들이 초등 저학년에 많이 겪게 되는 고민거리입니다.

중학교에서 수학을 포기하는 아이들의 상당수가 초등 연산의 기초가 없어서라고 합니다. 자연수, 분수의 사칙연산을 어려워하는 아이들이 정수, 유리수의 사칙연산을 어려워하는 것은 당연합니다.

고등학교에서 수학을 포기하는 아이들의 상당수는 공부하는 습관이 몸에 배어 있지 않아서라고 합니다. 공부 계획을 세우고 공부하는 습관은 학교에서 따로 가르쳐주지 않습니다. 할 줄 아는 아이들만 공부 계획표를 꾸준히 작성하고 실천하지 나머지는 포기합니다. 단시간에 공부습관을 바로잡기는 시간이 너무 부족합니다.

그렇다면 우리 아이가 초등학생 때 해야 할 수학은 무엇일까요?

공부 습관과 수학에 대한 자신감을 기르는 것입니다. 그런데 이 둘은 모두 연산 학습으로 잡을 수 있습니다.

연산은 매일 꾸준히 지치지 않고 하는 것이 핵심입니다. 꾸준한 연산 학습은 연산 실력을 향상시킬 수 있을 뿐만 아니라 앞으로의 공부 습관과 태도를 형성할 수 있는 매우 중요한 학습 방법입니다. 처음에는 개념 위주로 연산의 정확도를 목표로 학습하고 꾸준히 연습하면 속도는 저절로 올라가니 처음부터 속도에 욕심내지 마세요. 그리고 연산 학습과 더불어 공부 시간을 10분, 20분, ……, 60분으로 늘려나가며 공부 체력을 길러 주세요.

연산을 잘하면 무엇이 좋을까요?

수업 시간에 대답도 잘하고 선생님께 칭찬을 받아 자신감이 올라갑니다. 또 아이는 잘하려는 마음이 생겨서 노력하게 되고 성취하게 되며 칭찬을 받게 되는 과정을 되풀이하여 결국 자신감을 넘어 자존감이 올라가게 됩니다.

또한 초등 저학년 수학 내용은 반 이상이 연산이라 연산을 잘하면 저학년 수학을 잘할 수 있습니다. 그리고 도형, 측정과 같은 다른 영역에서 넓이, 부피, 시간, 각도 등을 구할 때에도 연산이 중요하게 사용되므로 결국 수학을 잘한다는 것으로 이어집니다.

초등학교는 대학입시를 준비하는 단계가 아닙니다. 초반부터 무리하게 시작하는 것보다 아이에 맞게 공부 시간과 난이도를 조절해 보세요. 초등 공부 습관과 자신감은 중·고등 시기에 학업 성취를 높여 주는 발판이 될 것입니다. 나아가 하루하루 쌓여 끈기가 되고 인생을 살아가는 지혜가 될 것입니다.

"초등 6년 연산
학년별로 이것만은 꼭 알고 가요."

학년별로 성취해야 할 연산 내용을 미리 살펴보고, 부족한 부분을 정리해 보세요.

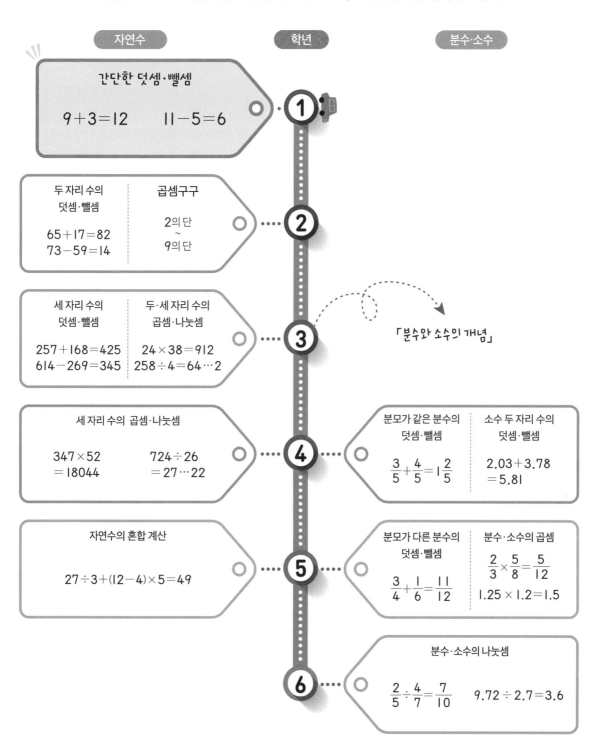

자연수 | **학년** | **분수·소수**

간단한 덧셈·뺄셈

$9+3=12$ $11-5=6$

①

두 자리 수의 덧셈·뺄셈

$65+17=82$
$73-59=14$

곱셈구구

2의 단
~
9의 단

②

세 자리 수의 덧셈·뺄셈

$257+168=425$
$614-269=345$

두·세 자리 수의 곱셈·나눗셈

$24×38=912$
$258÷4=64\cdots2$

③

「분수와 소수의 개념」

세 자리 수의 곱셈·나눗셈

$347×52$
$=18044$

$724÷26$
$=27\cdots22$

④

분모가 같은 분수의 덧셈·뺄셈

$\dfrac{3}{5}+\dfrac{4}{5}=1\dfrac{2}{5}$

소수 두 자리 수의 덧셈·뺄셈

$2.03+3.78$
$=5.81$

자연수의 혼합 계산

$27÷3+(12-4)×5=49$

⑤

분모가 다른 분수의 덧셈·뺄셈

$\dfrac{3}{4}+\dfrac{1}{6}=\dfrac{11}{12}$

분수·소수의 곱셈

$\dfrac{2}{3}×\dfrac{5}{8}=\dfrac{5}{12}$

$1.25×1.2=1.5$

---

⑥

분수·소수의 나눗셈

$\dfrac{2}{5}÷\dfrac{4}{7}=\dfrac{7}{10}$ $9.72÷2.7=3.6$

단계별 구성

유아/3단계

단계	권	주제
5세	1	1부터 5까지의 수
	2	6부터 9까지의 수
	3	1부터 9까지의 수
	4	덧셈과 뺄셈의 기초
6세	1	0부터 10까지의 수
	2	10까지의 수에서 더하기·빼기 1
	3	20까지의 수에서 더하기·빼기 1, 10
	4	20까지의 수에서 더하기·빼기 1, 2, 10
7세	1	합이 9까지의 덧셈
	2	9까지의 뺄셈과 덧셈·뺄셈
	3	50까지의 수에서 더하기·빼기 1, 2, 10
	4	받아올림·내림 없는 (두 자리 수±한 자리 수)

초등/6단계

단계	권	주제
초1	1	덧셈구구
	2	뺄셈구구
	3	편리한 계산 전략
	4	100까지의 수, 받아올림·내림 없는 (두 자리 수±두 자리 수)
초2	1	받아올림·내림 있는 (두 자리 수±한 자리 수)
	2	받아올림·내림 있는 (두 자리 수±두 자리 수)
	3	곱셈의 기초와 곱셈구구(1)
	4	곱셈구구(2)
초3	1	받아올림·내림 있는 (세 자리 수±세 자리 수)
	2	나눗셈구구
	3	(세 자리 수×한 자리 수), (두 자리 수×두 자리 수)
	4	분수와 소수의 기초
초4	1	큰 수
	2	곱셈과 나눗셈
	3	분모가 같은 분수의 덧셈과 뺄셈
	4	소수의 덧셈과 뺄셈
초5	1	자연수의 혼합 계산
	2	약수와 배수, 약분과 통분
	3	분모가 다른 분수의 덧셈과 뺄셈
	4	분수의 곱셈, 소수의 곱셈
초6	1	분수의 나눗셈
	2	소수의 나눗셈
	3	비와 비율
	4	비례식과 비례배분

칸토의 연산 시리즈

- 연산의 원리부터 재미있는 퍼즐형 문제까지 다루는 기본 난이도의 연산 교재
- 나선형 반복 학습과 확장 커리큘럼
- [칸토의 연산] ➡ [응용 연산]으로 이어지는 기본·심화 연산 학습 설계
- 단계별 4권, 9단계 총 36권 구성
- 한 단계 4개월 완성
- 학년별 교과서 진도와 맞춤 병행

이 책의 구성과 특징

- 하루 2쪽, 매주 5일씩 4주 동안 완성하는 연산 프로그램이에요.
- 연령별 아이의 학습 눈높이와 학습 체력에 맞게 쉬운 난이도와 하루 10분 정도의 학습 분량으로 구성하였어요.

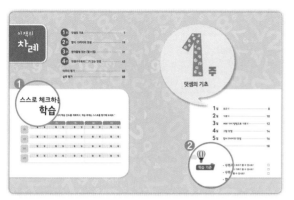

1 학습 안내 무엇을 공부할까요?

❶ 스스로 학습 진도를 계획하고 실천해 보세요.

❷ 이번 주에 꼭 알아야 할 학습 기준을 체크해요.
공부 전에 간단히 살펴보고, 한 주 공부가 끝나면 공부한 내용을 잘 알고 있는지 반드시 확인해 보세요.

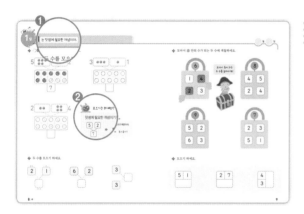

2 일일 학습 매주 5일씩 4주 동안 공부해요.

❶ 일일 학습 목표를 효율적으로 달성하기 위한 학습 목표 및 노하우를 담았어요. 무엇을 공부하는지 미리 알고 가는 공부는 목표 달성률이 훨씬 높답니다.

❷ 연산의 개념, 원리뿐만 아니라 궁금증을 해결할 수 있는 학습 노하우를 꼭 확인하세요.

3 확인 학습

이번 주 배운 내용을 잘 알고 있나요?

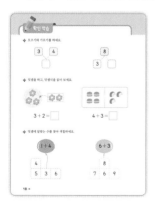

4 마무리 평가 + 실력 평가

4주 동안 배운 내용을 잘 알고 있나요?

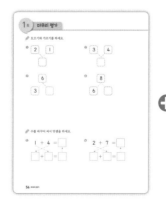

이 책의 차례

1주 덧셈의 기초 ………………………………… 7

2주 합이 10까지의 덧셈 ………………………… 19

3주 받아올림 있는 (몇)+(몇) …………………… 31

4주 덧셈구구표와 □가 있는 덧셈 ……………… 43

마무리 평가 …………………………………… 55

실력 평가 ……………………………………… 67

스스로 체크하는
학습 진도표

"일일 학습을 시작하기 전에 날짜를 기록하여 학습 진도를 계획하고, 학습 후에는 스스로를 평가해 보세요."

	1일		2일		3일		4일		5일	
1주	월	일	월	일	월	일	월	일	월	일
2주	월	일	월	일	월	일	월	일	월	일
3주	월	일	월	일	월	일	월	일	월	일
4주	월	일	월	일	월	일	월	일	월	일

1주

덧셈의 기초

1일   모으기   8

2일   가르기   10

3일   여러 가지 방법으로 가르기   12

4일   그림 덧셈   14

5일   합이 9까지의 덧셈   16

확인 학습   18

학습 기준

• 9까지의 수에서 두 수를 모으기 할 수 있나요?   ☐

• 9까지의 수에서 두 수로 가르기 할 수 있나요?   ☐

• 합이 9까지의 덧셈을 할 수 있나요?   ☐

모으기 는 덧셈에 필요한 개념이야.

➕ ◯를 색칠하여 두 수를 모으기 하세요.

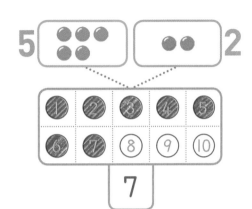

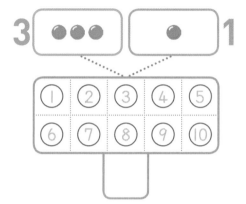

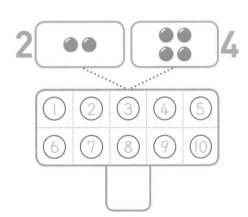

모으기는 왜 배워?

덧셈에 필요한 개념이기 때문이야.

➡ 5+2=7

➕ 두 수를 모으기 하세요.

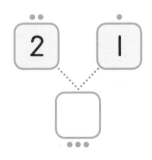

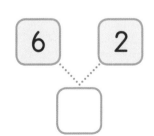

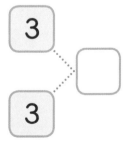

➕ 모아서 ⬤ 안의 수가 되는 두 수에 색칠하세요.

모아서 6이 되는
두 수를 눌러야 해!

➕ 모으기 하세요.

가르기 는 뺄셈에 필요한 개념이야.

➕ 선을 그어 두 수로 가르기 하세요.

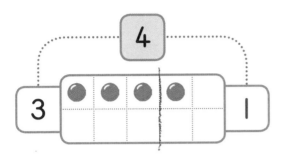

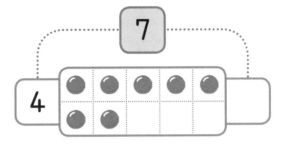

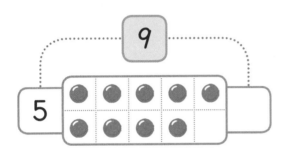

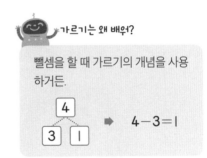

가르기는 왜 배워?

뺄셈을 할 때 가르기의 개념을 사용하거든.

$$\begin{array}{c} 4 \\ 3 \quad 1 \end{array} \quad \Rightarrow \quad 4-3=1$$

➕ 가르기 하세요.

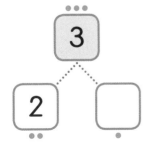

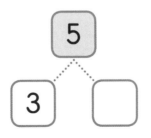

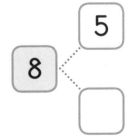

➕ 가운데 수를 두 수로 가르기 한 수를 찾아 선으로 이으세요.

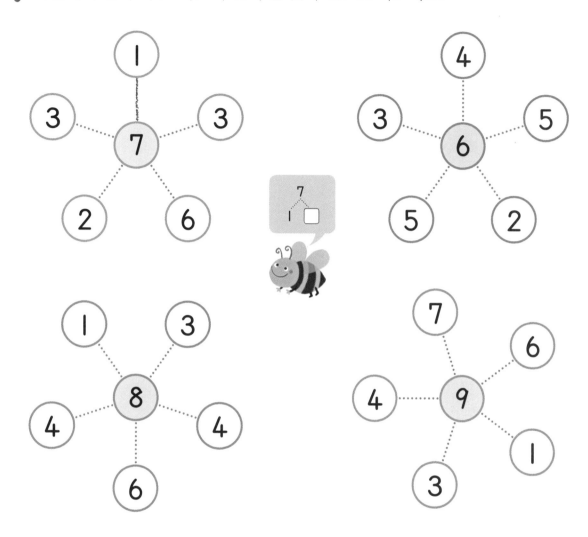

➕ 가르기 하세요.

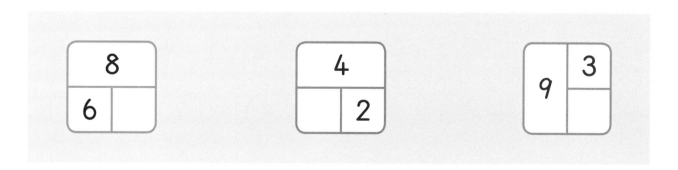

3일 여러 가지 방법으로 가르기 를 할 줄 알아야 덧셈, 뺄셈을 잘 할 수 있어.

✚ 하나의 수를 여러 가지 방법으로 가르기 하세요.

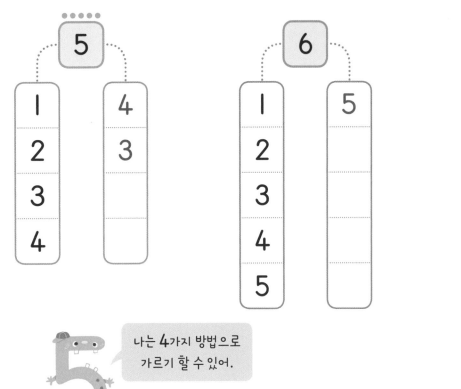

나는 **4**가지 방법으로 가르기 할 수 있어.

✚ **9**를 가르기 한 두 수끼리 선으로 이으세요.

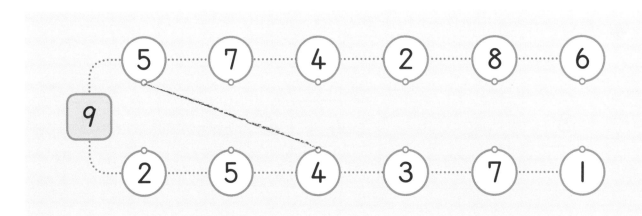

➕ 나무에 적힌 수를 가르기 한 두 수를 찾아 선으로 이으세요.

왼쪽에서 2개,
오른쪽에서 2개를 찾아봐.

➕ 덧셈을 하고, 덧셈식을 읽어 보세요.

사탕 하나 줄게.
사탕이 모두
몇 개야?

쓰기 $3 + 1 = \boxed{4}$

읽기 3 더하기 1은 4와 같습니다.

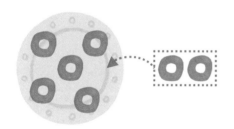

$5 + 2 = \boxed{}$

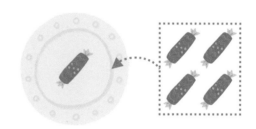

$1 + 4 = \boxed{}$

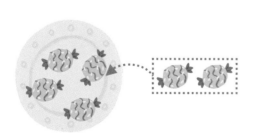

$4 + 2 = \boxed{}$

$3 + 3 = \boxed{}$

➕ 덧셈을 하고, 덧셈식을 읽어 보세요.

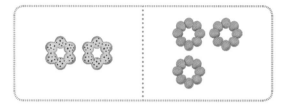

쓰기 2＋3＝ ☐

읽기 2와 3의 합은 5입니다.

5＋1＝ ☐

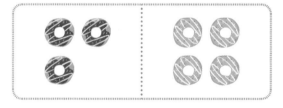

3＋4＝ ☐

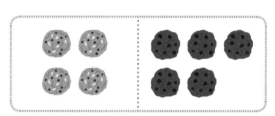

4＋5＝ ☐

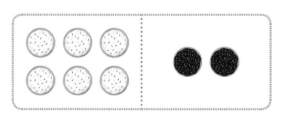

6＋2＝ ☐

덧셈에는 2가지 상황이 있어.

[첨가]	[합병]
●● ●	●●●
2＋1＝3	2＋1＝3
사탕 2개가 있었는데 형이 1개를 줘서 3개 가 됐어.	나와 형은 사탕을 각자 2개, 1개 가지고 있어. 합쳐서 모두 3개야.

5일 합이 9까지의 덧셈 을 모으기와 계란판 모형으로 이해해 보자.

➕ 모으기를 이용하여 덧셈을 하세요.

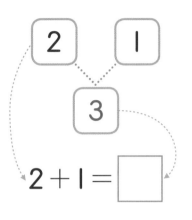

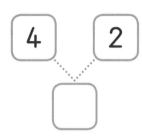

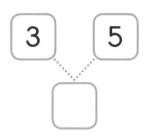

$2+1=\boxed{}$

$4+2=\boxed{}$

$3+5=\boxed{}$

모으기가 '더하기' 바로 나였구나!

➕ ○를 그려 덧셈을 하세요.

$3+2=\boxed{5}$

$8+1=\boxed{}$

$5+3=\boxed{}$

$3+4=\boxed{}$

➕ 덧셈에 알맞은 수를 찾아 색칠하세요.

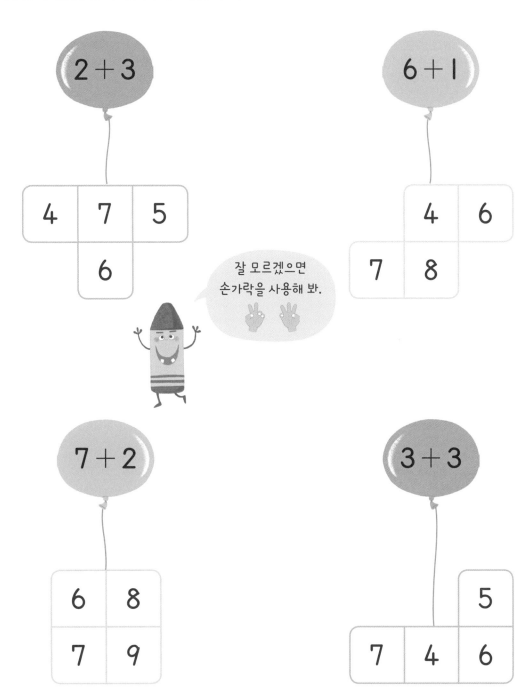

2+3

4	7	5
	6	

6+1

4	6
7	8

잘 모르겠으면
손가락을 사용해 봐.

7+2

6	8
7	9

3+3

		5
7	4	6

17

➕ 모으기와 가르기를 하세요.

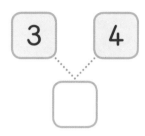

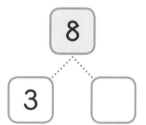

➕ 덧셈을 하고, 덧셈식을 읽어 보세요.

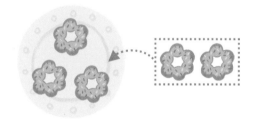

$3 + 2 = \boxed{}$

$4 + 3 = \boxed{}$

➕ 덧셈에 알맞는 수를 찾아 색칠하세요.

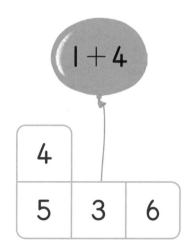

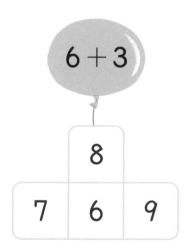

2주

합이 10까지의 덧셈

1일   바꾸어 더하기 —————————— 20

2일   합이 9까지의 덧셈 연습 ———————— 22

3일   10 가르고 모으기 ————————— 24

4일   10이 되는 더하기 ————————— 26

5일   10이 되는 더하기 연습 ——————— 28

확인 학습 ————————————————— 30

학습 기준

• 바꾸어 더하기를 이해하고 두 수를 바꾸어 더할 수 있나요?   ☐

• 10을 두 수로 가르고, 두 수를 모아 10을 만들 수 있나요?   ☐

• 더하여 10이 되는 하나 또는 두 수를 찾을 수 있나요?   ☐

바꾸어 더하기 는 뒷수가 더 클 때 사용하는 덧셈 방법이야.

➕ 수 막대를 보고 덧셈을 하세요.

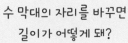
수 막대의 자리를 바꾸면
길이가 어떻게 돼?

| 2 | 5 |
| 5 | 2 |

수 막대의 자리를 바꾸어도 가로 길이는 같아요.

$$2 + 5 = \boxed{}$$
$$5 + 2 = \boxed{}$$

| 1 | 3 |
| 3 | 1 |

$$1 + 3 = \boxed{}$$
$$3 + 1 = \boxed{}$$

| 4 | 2 |
| 2 | 4 |

$$4 + 2 = \boxed{}$$
$$2 + 4 = \boxed{}$$

| 4 | 5 |
| 5 | 4 |

$$4 + 5 = \boxed{}$$
$$5 + 4 = \boxed{}$$

두 수를 바꾸어 더해도 합은 같아.

● + ▲ = ▲ + ●

➕ 큰 수와 작은 수의 자리를 바꾸어 덧셈을 하세요.

$2 + 3 = \boxed{5}$

$\boxed{3} + \boxed{2} = \boxed{5}$

 어느 것이 더 쉬워?

1+6 　　　 6+1

$3 + 4 = \boxed{}$

$\boxed{} + \boxed{} = \boxed{}$

$2 + 6 = \boxed{}$

$\boxed{} + \boxed{} = \boxed{}$

 뒷수가 더 큰 덧셈은 이제부터 뒷수부터 더하자.

2 + 6

➕ 빈칸에 알맞은 수를 쓰세요.

$5 + 2 = 2 + \boxed{}$

$1 + \boxed{} = 8 + 1$

$\boxed{} + 4 = 4 + 3$

$2 + 6 = \boxed{} + 2$

21

➕ 덧셈을 하세요.

$5 + 2 = \boxed{}$ $4 + 1 = \boxed{}$

$2 + 4 = \boxed{}$ $6 + 3 = \boxed{}$

0은 더하나 마나야.

$8 + 0 = \boxed{}$ $0 + 2 = \boxed{}$

$4 + 5 = \boxed{}$ $1 + 6 = \boxed{}$

➕ 다음 중 옳은 것에 모두 ○표 하세요.

$4 + 3 = 8$ $5 + 4 = 9$ $2 + 6 = 7$

$1 + 4 = 6$ $3 + 3 = 6$

➕ 올바른 계산 결과를 따라 길을 그리세요.

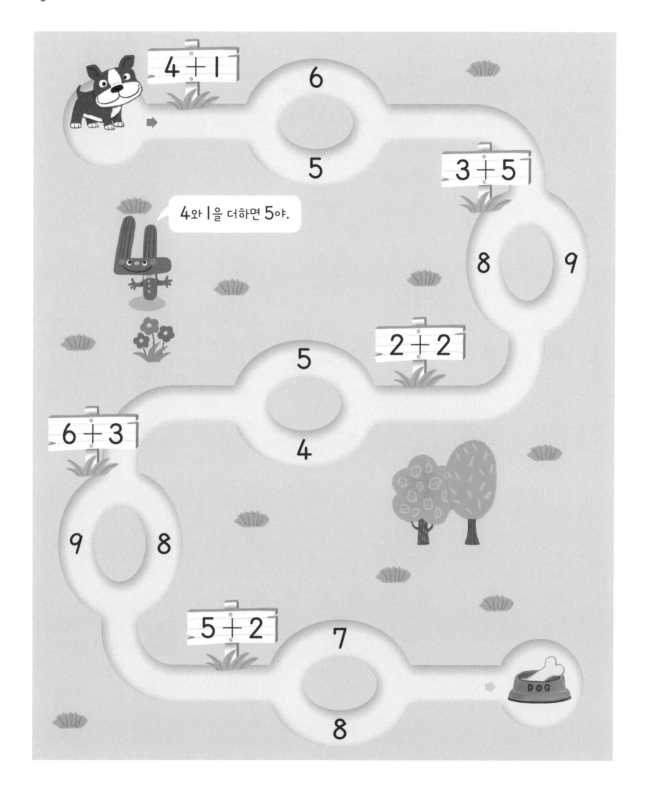

10 가르고 모으기 는 합이 10이 넘는 덧셈에 꼭 필요한 개념이니까 외울 수 있어야 해.

➕ 선을 그어 10을 두 수로 가르기 하세요.

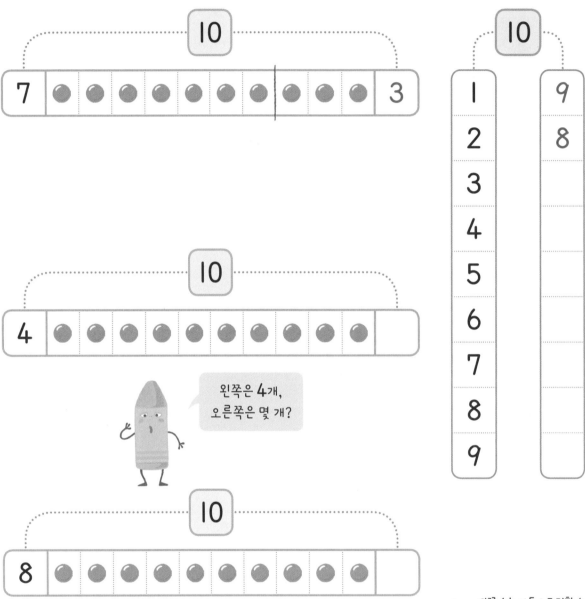

10

| 7 | ● ● ● ● ● ● ● ● ● ● | 3 |

10

| 4 | ● ● ● ● ● ● ● ● ● ● | |

왼쪽은 4개,
오른쪽은 몇 개?

10

| 8 | ● ● ● ● ● ● ● ● ● ● | |

10	
1	9
2	8
3	
4	
5	
6	
7	
8	
9	

짝꿍 수는 자동으로 말할 수
있을 정도로 외워 둬!

짝꿍 수

3 7

모아서 10이 되는 두 수를 찾아 선으로 이으세요.

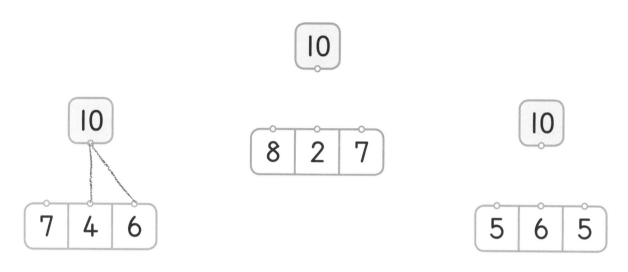

모아서 10이 되는 두 수를 찾아 선으로 이으세요.

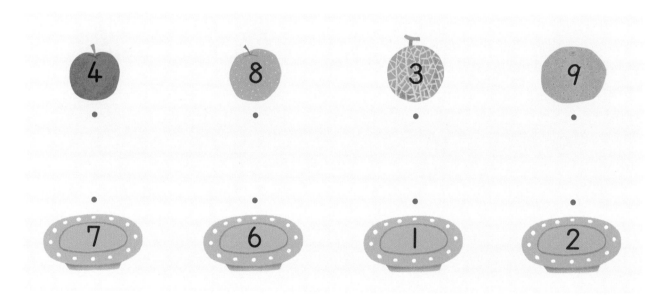

25

10이 되는 더하기
10이 되는 나머지 수 하나를 찾아볼래?

➕ 그림을 보고 빈칸에 알맞은 수를 쓰세요.

한 줄은 모두 10칸이야.

$$9 + \boxed{1} = 10$$

$$8 + \boxed{} = 10$$

$$7 + \boxed{} = 10$$

$$6 + \boxed{} = 10$$

$$5 + \boxed{} = 10$$

$$1 + \boxed{} = 10$$

$$2 + \boxed{} = 10$$

$$3 + \boxed{} = 10$$

$$4 + \boxed{} = 10$$

$$5 + \boxed{} = 10$$

✚ ◯를 그려 빈칸에 알맞은 수를 구하세요.

$7 + \boxed{3} = 10$

10칸 중에서 빈칸의 수는 3칸이에요.

$5 + \boxed{} = 10$

$4 + \boxed{} = 10$

$8 + \boxed{} = 10$

✚ 화살이 모두 10점에 맞았어요. ☐ 안에 알맞은 수를 쓰세요.

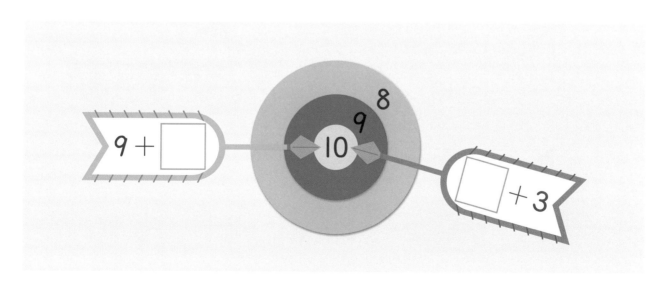

$9 + \boxed{}$

$\boxed{} + 3$

➕ 빈칸에 알맞은 수를 쓰세요.

$6 + \boxed{} = 10$ $2 + \boxed{} = 10$

$\boxed{} + 5 = 10$ $\boxed{} + 7 = 10$

$9 + \boxed{} = 10$ $4 + \boxed{} = 10$

10 가르기
잊지 않았지?

➕ ☐ 안에 알맞은 수가 가장 큰 배에 ◯표, 가장 작은 배에 △표 하세요.

$5 + \boxed{} = 10$ $4 + \boxed{} = 10$

$3 + \boxed{} = 10$ $2 + \boxed{} = 10$

✚ 합이 10이 되는 두 수를 찾아 ◯표 하세요.

➕ 덧셈을 하세요.

$5 + 2 = \boxed{}$

$4 + 1 = \boxed{}$

$3 + 4 = \boxed{}$

$6 + 3 = \boxed{}$

➕ 모아서 10이 되는 두 수를 찾아 선으로 이으세요.

10

4	7	6

10

3	8	5	2

➕ 빈칸에 알맞은 수를 쓰세요.

$7 + \boxed{} = 10$

$5 + \boxed{} = 10$

$\boxed{} + 9 = 10$

$\boxed{} + 4 = 10$

3주

받아올림 있는 (몇)+(몇)

1일 10+몇, 몇+10 ⎯⎯⎯⎯⎯⎯⎯ 32

2일 10 찾아 세 수 더하기 ⎯⎯⎯⎯ 34

3일 10 만들어 더하기(1) ⎯⎯⎯⎯ 36

4일 10 만들어 더하기(2) ⎯⎯⎯⎯ 38

5일 10 만들어 더하기 연습 ⎯⎯⎯ 40

확인 학습 ⎯⎯⎯⎯⎯⎯⎯⎯⎯⎯⎯ 42

학습 기준

• 10과 어떤 수의 합을 구할 수 있나요? ☐

• 합이 10인 두 수를 찾아 세 수의 덧셈을 할 수 있나요? ☐

• 받아올림이 있는 (몇)+(몇)에서 작은 수를 갈라 10을 만들어
덧셈을 할 수 있나요? ☐

➕ 동전을 보고 덧셈을 하세요.

우리도 이제
너와 같아!

$$10 + 2 = \boxed{12}$$

십과 몇을 더하면 십몇이 돼요.

$$10 + 4 = \boxed{}$$

$$5 + 10 = \boxed{}$$

$$7 + 10 = \boxed{}$$

$$10 + 1 = \boxed{}$$

$$10 + 6 = \boxed{}$$

➕ 빈칸에 알맞은 수를 쓰세요.

일의 자리

$10 + 6 = \boxed{1 \ 6}$

십의 자리

일의 자리

$3 + 10 = \boxed{}$

십의 자리

$10 + 8 = \boxed{}$

$1 + 10 = \boxed{}$

$10 + \boxed{} = 12$

$10 + \boxed{} = 19$

$5 + \boxed{} = 15$

$4 + \boxed{} = 14$

➕ 덧셈에 알맞은 길을 그리세요.

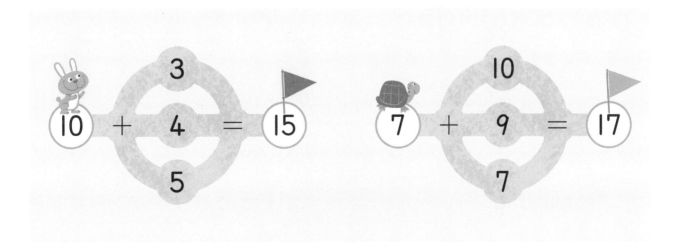

$10 + \begin{matrix} 3 \\ 4 \\ 5 \end{matrix} = 15$

$7 + \begin{matrix} 10 \\ 9 \\ 7 \end{matrix} = 17$

33

10 찾아 세 수 더하기 는 받아올림이 있는 두 수의 덧셈에 필요한 개념이야.

✚ 합이 10이 되는 두 수를 먼저 계산하여 세 수의 덧셈을 하세요.

$$4 + 8 + 2 = \boxed{14}$$

$$4 + \boxed{10}$$

먼저 합이 10이 되는 두 수 8과 2를 더한 후 4를 더해요.

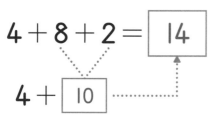

어느 방법이 더 쉽겠어?

$$(4+8)+2 \qquad 4+(8+2)$$

$$6 + 4 + 1 = \boxed{}$$

$$\boxed{} + 1$$

$$5 + 6 + 5 = \boxed{}$$

$$\boxed{} + 6$$

✚ 더해서 10이 되는 두 수에 ◯표 하고, 세 수의 덧셈을 하세요.

$$④ + 5 + ⑥ = \boxed{15}$$

10

$$7 + 3 + 4 = \boxed{}$$

$$5 + 9 + 5 = \boxed{}$$

$$8 + 4 + 6 = \boxed{}$$

$$9 + 1 + 6 = \boxed{}$$

$$1 + 8 + 2 = \boxed{}$$

➕ 관계있는 것끼리 선으로 이으세요.

 6＋4＋8 ◦

 ◦ 10＋3 ◦

 ◦ 15

기차를 연결해.

 5＋3＋5 ◦

 ◦ 10＋5 ◦

 ◦ 18

10을 만들면 쉽네.

 7＋8＋2 ◦

 ◦ 10＋8 ◦

 ◦ 17

10이 되는 두 수를 먼저 찾아.

 1＋5＋9 ◦

 ◦ 7＋10 ◦

 ◦ 13

35

10 만들어 더하기(1)
은 뒷수를 갈라 앞수를 10으로 만들어 더하는 방법이야.

➕ 앞수와 더하여 10이 되도록 뒷수를 갈라 덧셈을 하세요.

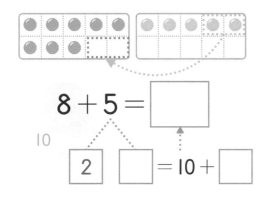

앞수 8이 10이 되려면 2가 필요해.

5를 2와 3으로 갈라!

$8 + 5 = \boxed{}$

10

$\boxed{2}\ \boxed{} = 10 + \boxed{}$

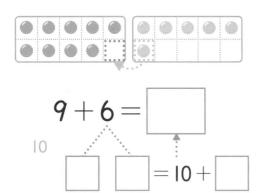

$9 + 6 = \boxed{}$

10

$\boxed{}\ \boxed{} = 10 + \boxed{}$

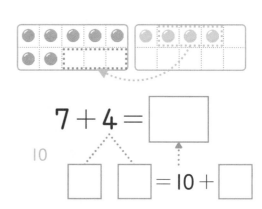

$7 + 4 = \boxed{}$

10

$\boxed{}\ \boxed{} = 10 + \boxed{}$

➕ 앞수와 더하여 10이 되도록 뒷수를 가르기 하세요.

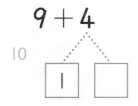

$9 + 4$

10

$\boxed{1}\ \boxed{}$

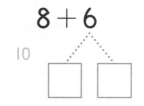

$8 + 6$

10

$\boxed{}\ \boxed{}$

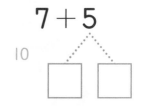

$7 + 5$

10

$\boxed{}\ \boxed{}$

➕ 뒷수를 가르기 하여 덧셈을 하세요.

$8 + 6 = \boxed{}$
2   4

$7 + 6 = \boxed{}$

$9 + 7 = \boxed{}$

$8 + 3 = \boxed{}$

 앞수가 뒷수보다 클 때는 앞수를 10으로 만들어 더해.

(큰 수)＋(작은 수) ➡ 10＋몇

➕ 빈칸에 알맞은 수를 쓰세요.

$\boxed{9}$ $\xrightarrow{+6}$ $\boxed{}$

＋1 ↘   ↗ ＋5
$\boxed{}$

9＋6은
9＋1＋5와 같구나.

$\boxed{8}$ $\xrightarrow{+5}$ $\boxed{}$

＋2 ↘   ↗ ＋3
$\boxed{}$

37

10 만들어 더하기(2) 는 앞수를 갈라 뒷수를 10으로 만들어 더하는 방법이야.

➕ 뒷수와 더하여 10이 되도록 앞수를 갈라 덧셈을 하세요.

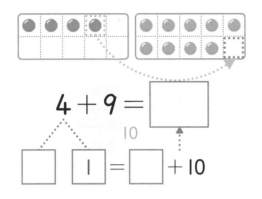

$$4 + 9 = \boxed{}$$

$$\boxed{} \quad \boxed{1} = \boxed{} + 10$$

뒷수 9가 10이 되려면 1이 필요해.

4를 1과 3으로 갈라!

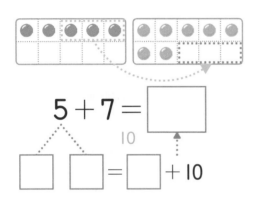

$$5 + 7 = \boxed{}$$

$$\boxed{} \quad \boxed{} = \boxed{} + 10$$

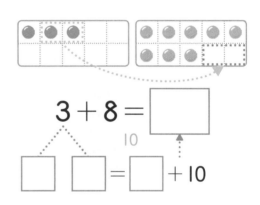

$$3 + 8 = \boxed{}$$

$$\boxed{} \quad \boxed{} = \boxed{} + 10$$

➕ 뒷수와 더하여 10이 되도록 앞수를 가르기 하세요.

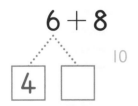

$$6 + 8$$

$$\boxed{4} \quad \boxed{}$$

$$3 + 9$$

$$\boxed{} \quad \boxed{}$$

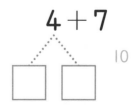

$$4 + 7$$

$$\boxed{} \quad \boxed{}$$

➕ 뒷수와 더하여 10이 되도록 앞수를 갈라 덧셈을 하세요.

$5 + 9 =$ ☐

4 1

$4 + 8 =$ ☐

$6 + 7 =$ ☐

$6 + 9 =$ ☐

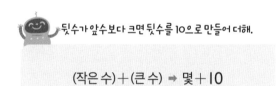

뒷수가 앞수보다 크면 뒷수를 10으로 만들어 더해.

(작은 수) + (큰 수) ➡ 몇 + 10

➕ 관계있는 것끼리 선으로 이으세요.

$5 + 6$

$7 + 9$

$5 + 8$

$6 + 10$

$3 + 10$

$1 + 10$

➕ 작은 수를 갈라 큰 수를 10으로 만들어 덧셈을 하세요.

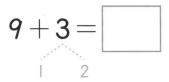

$9 + 3 = \boxed{}$ ⌢ 1   2

$5 + 8 = \boxed{}$ ⌢ 3   2

$5 + 7 = \boxed{}$

$8 + 6 = \boxed{}$

$9 + 6 = \boxed{}$

$4 + 7 = \boxed{}$

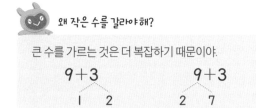

왜 작은 수를 갈라야 해?

큰 수를 가르는 것은 더 복잡하기 때문이야.

$9 + 3$ ⌢ 1   2 $9 + 3$ ⌢ 2   7

➕ 계산을 하여 ◯ 안의 수가 되는 식에 색칠하세요.

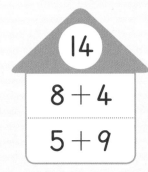

14

$8 + 4$

$5 + 9$

11

$5 + 6$

$7 + 6$

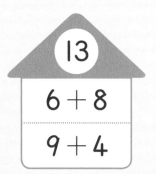

13

$6 + 8$

$9 + 4$

➕ 같은 모양끼리 선으로 잇고, 두 수의 합을 같은 모양 안에 쓰세요.

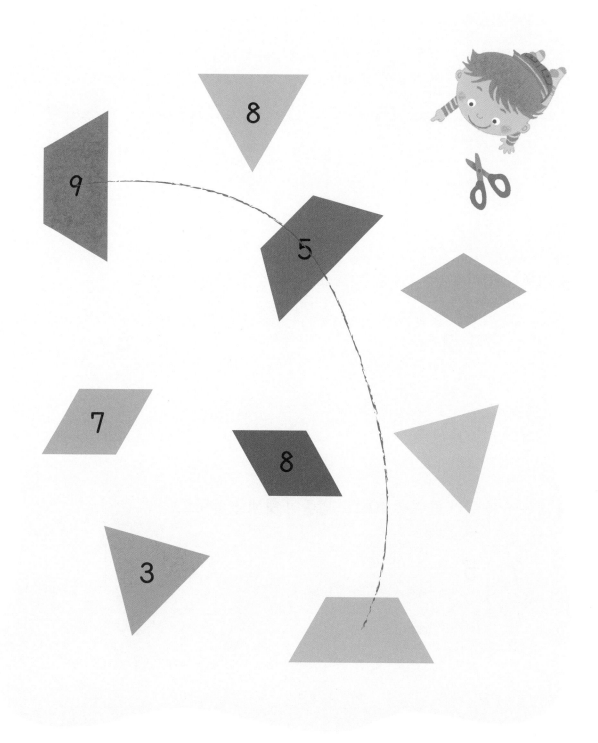

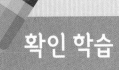

➕ 빈칸에 알맞은 수를 쓰세요.

$$10 + 2 = \boxed{}$$

$$8 + 10 = \boxed{}$$

$$10 + \boxed{} = 15$$

$$10 + \boxed{} = 19$$

➕ 더해서 10이 되는 두 수에 ◯표 하고, 세 수의 덧셈을 하세요.

$$8 + 3 + 2 = \boxed{}$$

$$7 + 4 + 6 = \boxed{}$$

➕ 작은 수를 갈라 큰 수를 10으로 만들어 덧셈을 하세요.

$$9 + 5 = \boxed{}$$

10

$$4 + 7 = \boxed{}$$

10

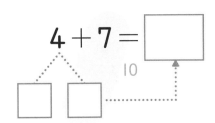

4주

덧셈구구표와 □가 있는 덧셈

1일   덧셈구구 연습 ················· 44

2일   덧셈구구표 한눈에 보기 ················· 46

3일   □가 있는 덧셈구구 ················· 48

4일   □가 있는 덧셈구구 연습 ················· 50

5일   세 수의 덧셈 ················· 52

확인 학습 ················· 54

학습 기준

· 덧셈구구표를 완성할 수 있나요?   ☐

· □가 있는 두 수의 덧셈에서 □를 구할 수 있나요?   ☐

· 세 수의 덧셈을 할 수 있나요?   ☐

덧셈구구 연습　큰 수가 10이 되려면 작은 수에서 얼마를 주면 될까?

➕ 작은 수에서 큰 수로 수를 주어 **10**을 만들어 덧셈을 하세요.

$$9 + 4 = \boxed{13}$$
10↖ ↗3
$\boxed{1}$

4에서 9에 1을 주면 3이 남아요.

$$7 + 5 = \boxed{}$$
10↖ ↗
$\boxed{}$

$$8 + 3 = \boxed{}$$
10↖
$\boxed{}$

$$9 + 6 = \boxed{}$$
10↖
$\boxed{}$

$$5 + 7 = \boxed{12}$$
2 ↖ ↗10
$\boxed{3}$

5에서 7에 3을 주면 2가 남아요.

$$2 + 9 = \boxed{}$$
↗10
$\boxed{}$

$$6 + 8 = \boxed{}$$
↗10
$\boxed{}$

$$4 + 9 = \boxed{}$$
↗10
$\boxed{}$

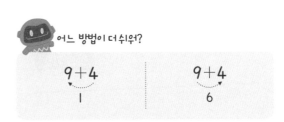
어느 방법이 더 쉬워?

$9+4$	$9+4$
1	6

덧셈을 하여 로켓과 행성을 선으로 이으세요.

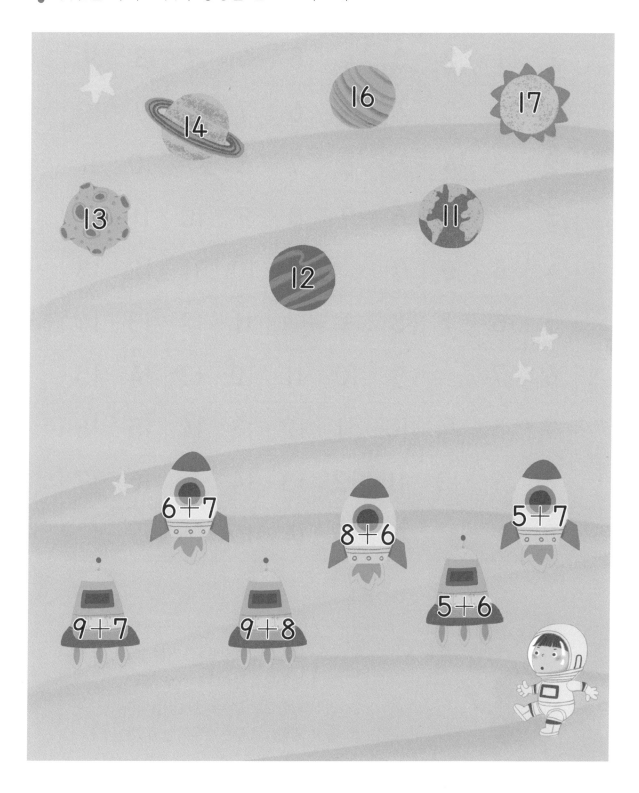

➕ 덧셈구구표를 완성하세요.

+	1	2	3	4	5	6	7	8	9
1	2	3	4	5	6	7	8	9	
2	3	4	5 (2+3)	6	7	8		10	11
3		5	6	7	8	9	10	11	12
4	5	6	7		9	10	11	12	13
5	6	7	8	9		11	12	13	14
6	7		9	10	11	12	13	14	15
7	8	9	10	11	12	13	14	15	16
8	9	10	11	12	13	14		16	17
9			12	13	14	15	16	17	

오른쪽과 같은
규칙이 숨어 있어.

┤ 규칙 ├

① → 방향으로 갈수록 1씩 커집니다.

② ↑ 방향으로 갈수록 1씩 작아집니다.

③ ↘ 방향으로 갈수록 2씩 커집니다.

④ ↙ 방향으로 같은 수들이 놓여 있습니다.

➕ 덧셈표를 완성하세요.

+	7	8
2	9 (2+7)	
3		

+	3	4
5		
6		10 (6+4)

+	5	6
6		
7		

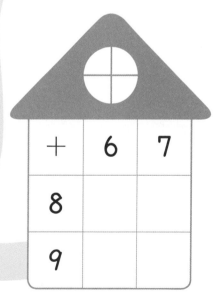

+	6	7
8		
9		

□가 있는 덧셈구구 <small>덧셈구구를 잘 하려면 □가 있는 덧셈구구도 잘 할 수 있어야 해.</small>

➕ ○를 그려 □ 안에 알맞은 수를 구하세요.

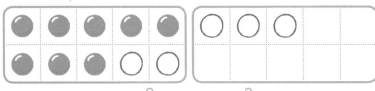

구슬이 **8**개에서 **13**개가 되려면 ○ 몇 개를 더 그려야 해?

$$8 + \boxed{5} = 13$$

2   3

왼쪽에 **2**개, 오른쪽에 **3**개! 모두 **5**개

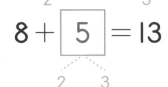

$$9 + \boxed{} = 12$$

1   2

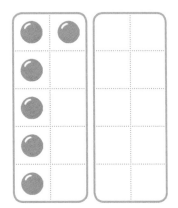

$$6 + \boxed{} = 11$$

$$7 + \boxed{} = 13$$

✚ ☐ 안에 알맞은 수를 쓰세요.

$$9 + \boxed{6} = 15$$
1   5

$$6 + \boxed{} = 12$$
4   2

$$4 + \boxed{} = 13$$

$$9 + \boxed{} = 17$$

$$\boxed{} + 8 = 11$$
1   2

$$\boxed{} + 7 = 14$$
4   3

$$\boxed{} + 5 = 13$$

$$\boxed{} + 8 = 16$$

✚ ☐ 안에 알맞은 수를 찾아 선으로 이으세요.

$$9 + \boxed{} = 17$$

$$7 + \boxed{} = 14$$

6

8

7

$$\boxed{} + 3 = 11$$

$$\boxed{} + 6 = 12$$

□가 있는 덧셈구구 연습 으로 덧셈구구 실력을 더 탄탄히 다져 보자!

➕ □ 안에 알맞은 수가 적힌 음식을 동물과 이으세요.

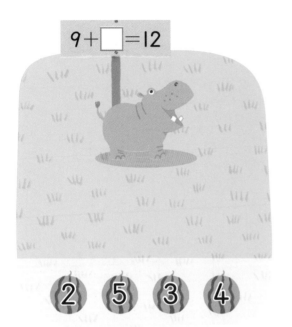

$9+\square=12$

2 5 3 4

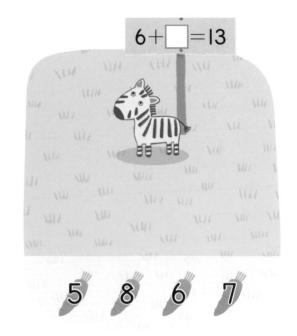

$6+\square=13$

5 8 6 7

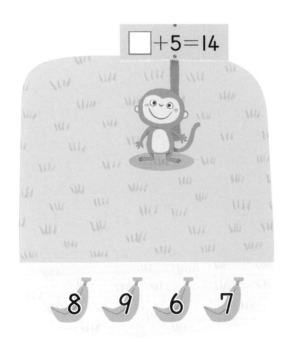

$\square+5=14$

8 9 6 7

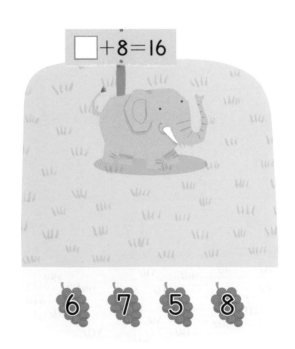

$\square+8=16$

6 7 5 8

➕ 합이 가운데 수가 되는 두 수를 찾아 색칠하세요.

$\boxed{6} + \boxed{7} = 13$

세 수의 덧셈 더하는 순서를 바꾸어도 세 수의 덧셈 결과는 같아.

➕ 세 수의 덧셈을 하세요.

방법 1

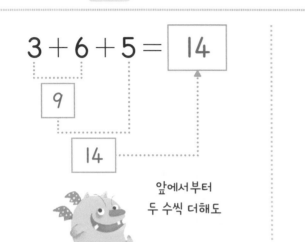

$3 + 6 + 5 = \boxed{14}$

$\boxed{9}$

$\boxed{14}$

앞에서부터
두 수씩 더해도

방법 2

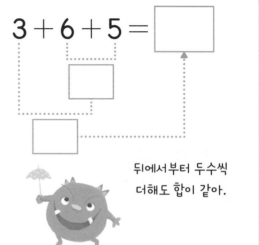

$3 + 6 + 5 = \boxed{}$

뒤에서부터 두 수씩
더해도 합이 같아.

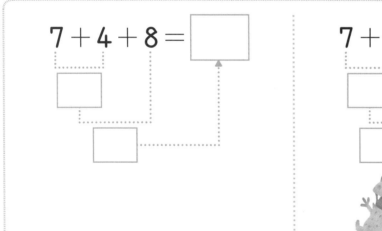

$7 + 4 + 8 = \boxed{}$

$7 + 4 + 8 = \boxed{}$

양끝에서부터 두 수씩
더해도 합이 같아.

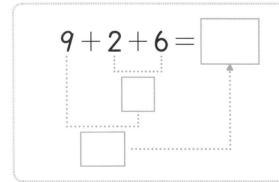

$9 + 2 + 6 = \boxed{}$

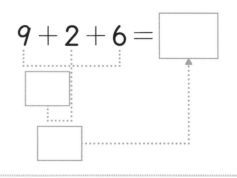

$9 + 2 + 6 = \boxed{}$

✚ 화살이 맞은 곳의 점수를 모두 더하세요.

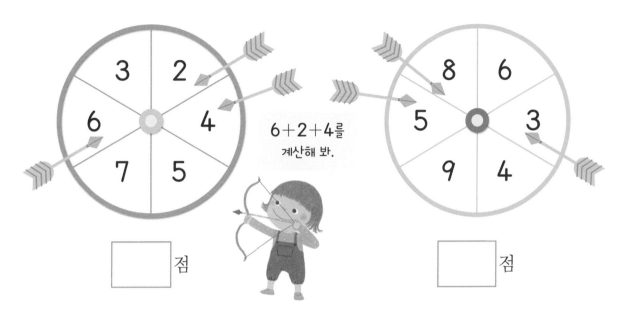

6+2+4를
계산해 봐.

⬚ 점   ⬚ 점

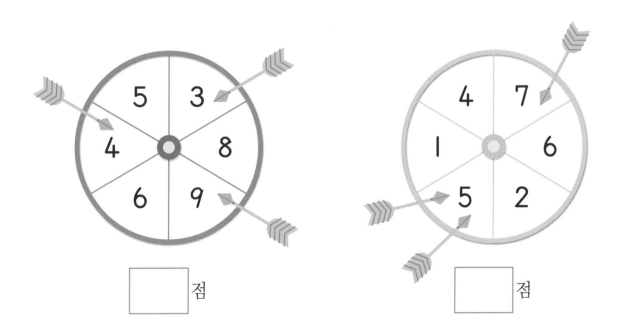

⬚ 점   ⬚ 점

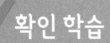
➕ 덧셈표를 완성하세요.

+	3	4
2		
3		

+	5	6
7		
8		

➕ ☐ 안에 알맞은 수를 쓰세요.

$$7 + \boxed{} = 12$$

$$\boxed{} + 9 = 17$$

➕ 세 수의 덧셈을 하세요.

$$7 + 4 + 3 = \boxed{}$$

$$5 + 6 + 8 = \boxed{}$$

마무리
평가

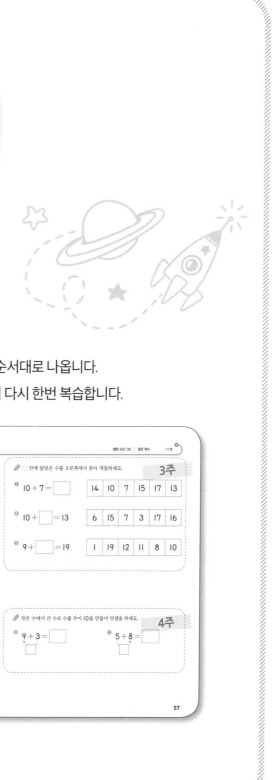

마무리 평가에서는 1, 2, 3, 4주 차의 유형이 순서대로 나옵니다.

문제가 틀리면 몇 주 차인지 확인하여 반드시 다시 한번 복습합니다.

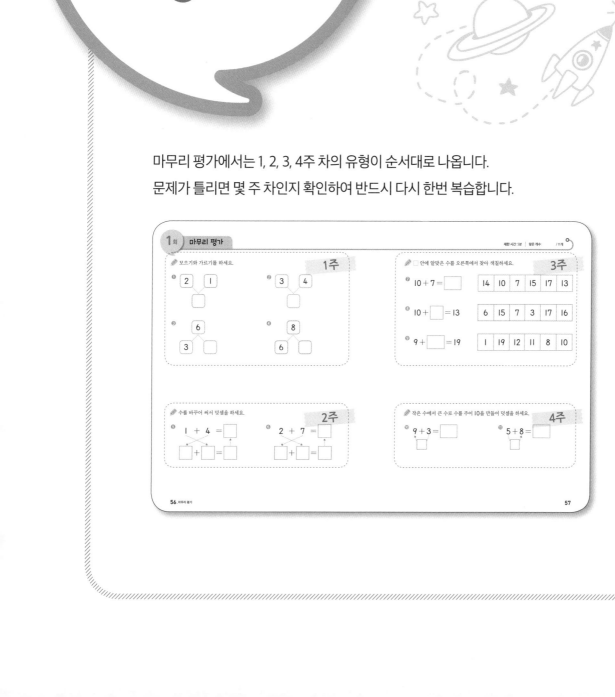

🖊 모으기와 가르기를 하세요. **1주**

① [2] [1]

② [3] [4]

③ [6]
   [3]

④ [8]
   [6]

🖊 □안에 알맞은 수를 오른쪽에서 찾아 색칠하세요. **3주**

⑦ 10 + 7 = [   ] | 14 | 10 | 7 | 15 | 17 | 13 |

⑧ 10 + [   ] = 13 | 6 | 15 | 7 | 3 | 17 | 16 |

⑨ 9 + [   ] = 19 | 1 | 19 | 12 | 11 | 8 | 10 |

🖊 수를 바꾸어 써서 덧셈을 하세요. **2주**

⑤ 1 + 4 = [   ]
   [   ] + [   ] = [   ]

⑥ 2 + 7 = [   ]
   [   ] + [   ] = [   ]

🖊 작은 수에서 큰 수로 수를 주어 10을 만들어 덧셈을 하세요. **4주**

⑩ 9 + 3 = [   ]
   [   ]

⑪ 5 + 8 = [   ]
   [   ]

✏️ 모으기와 가르기를 하세요.

①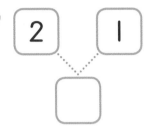

②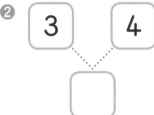

③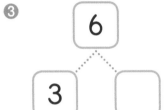

④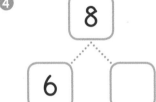

✏️ 수를 바꾸어 써서 덧셈을 하세요.

⑤

$$1 + 4 = \boxed{}$$

$$\boxed{} + \boxed{} = \boxed{}$$

⑥

$$2 + 7 = \boxed{}$$

$$\boxed{} + \boxed{} = \boxed{}$$

✏️ ☐ 안에 알맞은 수를 오른쪽에서 찾아 색칠하세요.

⑦ $10 + 7 = $ ☐

14	10	7	15	17	13

⑧ $10 + $ ☐ $= 13$

6	15	7	3	17	16

⑨ $9 + $ ☐ $= 19$

1	19	12	11	8	10

✏️ 작은 수에서 큰 수로 수를 주어 10을 만들어 덧셈을 하세요.

⑩ $9 + 3 = $ ☐

☐

⑪ $5 + 8 = $ ☐

☐

57

✏️ 8을 여러 가지 방법으로 가르기 하세요.

❶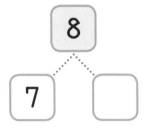

❷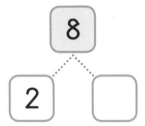

❸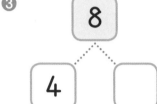

✏️ 덧셈을 하세요.

❹ $3 + 2 = \boxed{}$

❺ $6 + 3 = \boxed{}$

❻ $4 + 4 = \boxed{}$

❼ $2 + 5 = \boxed{}$

✏️ 더해서 10이 되는 두 수를 찾아 ◯표 하고, 세 수의 덧셈을 하세요.

⑧ $6 + 3 + 4 = \boxed{}$

⑨ $7 + 5 + 5 = \boxed{}$

✏️ 덧셈표를 완성하세요.

⑩

+	1	2
6		
7		

⑪

+	8	9
7		
8		

✏️ 주어진 수를 여러 가지 방법으로 가르기 하세요.

❶
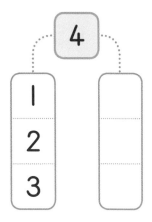

❷

✏️ 10을 가르기 하세요.

❸
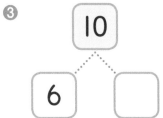

❹
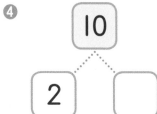

❺
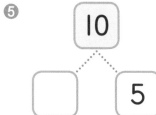

✏️ 앞수와 더하여 10이 되도록 뒷수를 갈라 덧셈을 하세요.

❻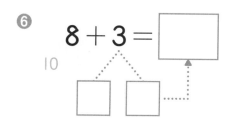

❼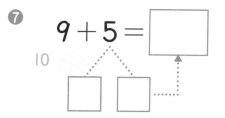

✏️ ☐ 안에 알맞은 수를 오른쪽에서 찾아 색칠하세요.

❽ $5 + \boxed{} = 11$

❾ $\boxed{} + 9 = 17$

61

✏️ 그림을 보고 덧셈을 하세요.

①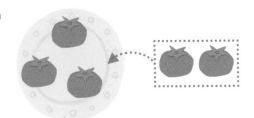

$$3 + 2 = \boxed{}$$

②

$$2 + 4 = \boxed{}$$

✏️ 빈칸에 알맞은 수를 쓰세요.

③ $7 + \boxed{} = 10$

④ $1 + \boxed{} = 10$

⑤ $\boxed{} + 4 = 10$

⑥ $\boxed{} + 8 = 10$

✏️ 뒷수와 더하여 10이 되도록 앞수를 갈라 덧셈을 하세요.

❼
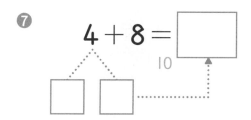

$$4 + 8 = \boxed{}$$

❽

$$5 + 9 = \boxed{}$$

✏️ 합이 가운데 수가 되는 두 수를 찾아 색칠하세요.

❾
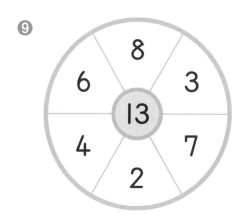

❿
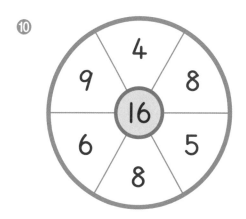

63

✏️ ○를 그려 덧셈을 하세요.

❶

①	②	③	④	5
6	7	8	9	10

$$4 + 3 = \boxed{}$$

❷

①	②	③	④	⑤
6	7	8	9	10

$$5 + 4 = \boxed{}$$

✏️ 합이 10이 되는 두 수를 찾아 ○표 하세요.

❸

❹

5
6
3
5

❺

7
4
5
6
2

✏️ 작은 수를 갈라 10을 만들어 덧셈을 하세요.

⑥

$$7 + 5 = \boxed{}$$

10

⑦

$$6 + 9 = \boxed{}$$

10

✏️ 화살이 맞은 곳의 점수를 모두 더하세요.

⑧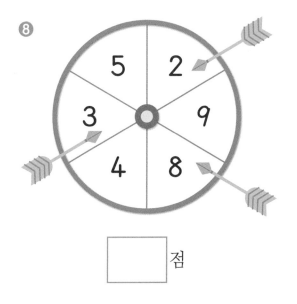

□ 점

⑨

□ 점

65

MEMO

실력 평가

초1_1권

시간	2분	문제수	20개
배점	1문제 5점 / 총 100점		

날짜: _____ 월 _____ 일

이름: _____

점수: _____ 점

사고가 자라는 수학
씨투엠

① $6 + 2 =$

② $1 + 3 =$

③ $9 + 5 =$

④ $7 + 4 =$

⑤ $5 + 3 =$

⑥ $6 + 9 =$

⑦ $8 + 4 =$

⑧ $3 + 7 =$

⑨ $9 + 8 =$

⑩ $6 + 6 =$

⑪ $5 + 9 =$

⑫ $8 + 2 =$

⑬ $9 + 9 =$

⑭ $5 + 7 =$

⑮ $4 + 0 =$

⑯ $8 + 5 =$

⑰ $6 + 8 =$

⑱ $7 + 7 =$

⑲ $3 + 6 =$

⑳ $8 + 9 =$

유아·초등 수학의 **필수 개념**
교과연계 수백판 100

유아·초등수학에서 **꼭 해야 할 필수 교구** 수백판 100

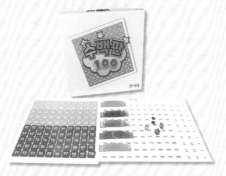

＋

수백판

워크북(2권)

① 편리한 설계로

유아부터 초등까지

누구나 쉽게 이용가능!

② 보다 다양한 활동을 위해

읽기판과 천판

추가!

③ 수칩 구분이 쉬워

정리와 보관까지

한번에!

④ 초등수학교과를 연계한 체계적인 워크북과 함께하면 스스로 실력이 쑥쑥!

교과연계 단위 소개와 배워야 할 학습목표를 한눈에 볼 수 있습니다.

씨투엠이 만들면 기준이 됩니다!

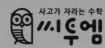

초등 연산의 기준

칸토의 연산

정답

덧셈구구

정답

1주: 덧셈의 기초

1일 모으기 는 덧셈에 필요한 개념이야.

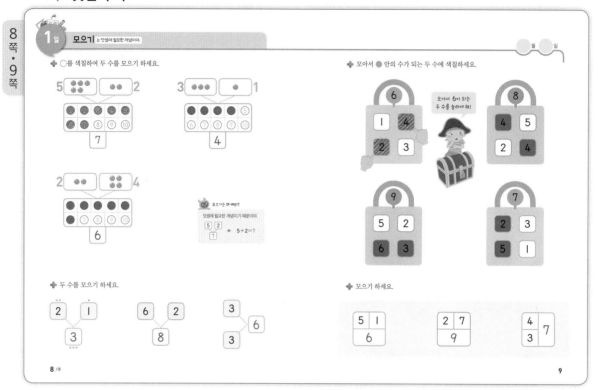

2일 가르기 는 뺄셈에 필요한 개념이야.

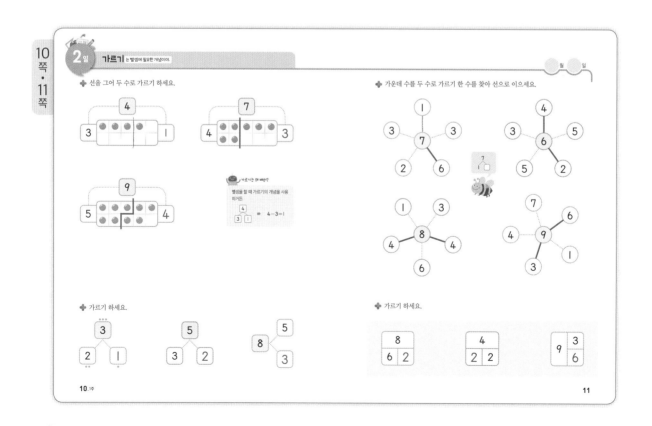

3 일 **여러 가지 방법으로 가르기** 를 할 줄 알아야 덧셈, 뺄셈을 잘 할 수 있어.

월 일

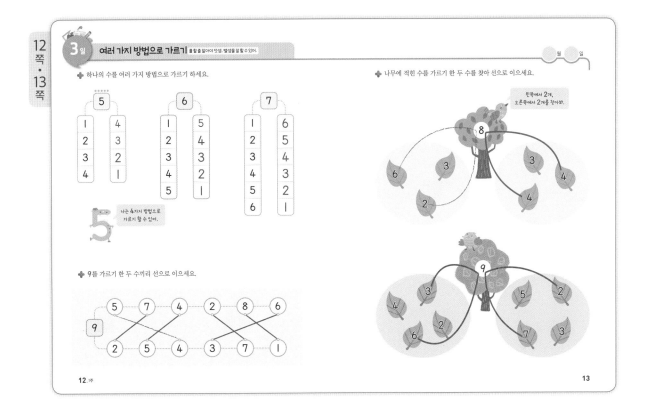

➕ 하나의 수를 여러 가지 방법으로 가르기 하세요.

나는 4가지 방법으로 가르기 할 수 있어.

➕ 나무에 적힌 수를 가르기 한 두 수를 찾아 선으로 이으세요.

왼쪽에서 2개, 오른쪽에서 2개를 찾아봐.

➕ 9를 가르기 한 두 수끼리 선으로 이으세요.

4 일 **그림 덧셈** 으로 덧셈의 개념을 2가지로 이해해 보자.

월 일

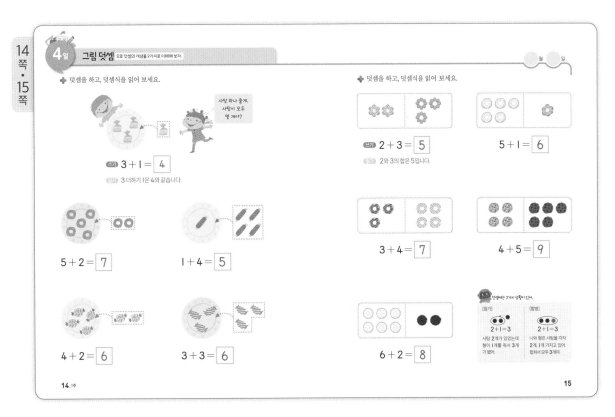

➕ 덧셈을 하고, 덧셈식을 읽어 보세요.

사탕 하나 줄게. 사탕이 모두 몇 개야?

쓰기 $3 + 1 = 4$

읽기 3 더하기 1은 4와 같습니다.

$5 + 2 = 7$

$1 + 4 = 5$

$4 + 2 = 6$

$3 + 3 = 6$

➕ 덧셈을 하고, 덧셈식을 읽어 보세요.

쓰기 $2 + 3 = 5$

읽기 2와 3의 합은 5입니다.

$5 + 1 = 6$

$3 + 4 = 7$

$4 + 5 = 9$

$6 + 2 = 8$

덧셈하는 2가지 상황이 있어.

[첨가]
$2 + 1 = 3$
사탕 2개가 있는데 형이 1개를 줘서 3개가 됐어.

[합병]
$2 + 1 = 3$
나와 형은 사탕을 각각 2개, 1개 가지고 있어. 합쳐서 모두 3개야.

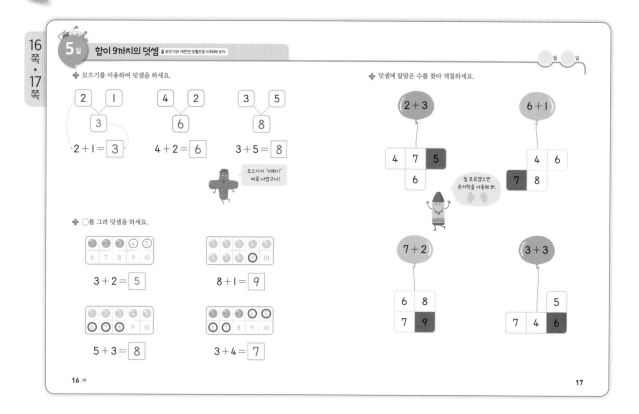

16
쪽·17
쪽

5일 **합이 9까지의 덧셈** 을 모으기와 계란판 모형으로 이해해 보자.

◆ 모으기를 이용하여 덧셈을 하세요.

2 1
  3
2+1= 3

4 2
  6
4+2= 6

3 5
  8
3+5= 8

모으기가 '더하기'
바로 나왔구나!

◆ ○를 그려 덧셈을 하세요.

3+2= 5

8+1= 9

5+3= 8

3+4= 7

◆ 덧셈에 알맞은 수를 찾아 색칠하세요.

2+3

4 7 5
   6

6+1

   4 6
7 8

잘 모르겠으면
손가락을 사용해 봐.

7+2

6 8
7 9

3+3

      5
7 4 6

16.1주

17

18
쪽

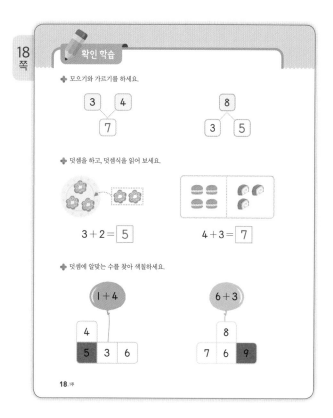

✏ **확인 학습**

◆ 모으기와 가르기를 하세요.

3 4
  7

  8
3 5

◆ 덧셈을 하고, 덧셈식을 읽어 보세요.

3+2= 5

4+3= 7

◆ 덧셈에 알맞은 수를 찾아 색칠하세요.

1+4

4
5 3 6

6+3

   8
7 6 9

18.1주

1주

2주: 합이 10까지의 덧셈

1일 바꾸어 더하기 는 뒷수가 더 클 때 사용하는 덧셈 방법이야.

월 일

✚ 수 막대를 보고 덧셈을 하세요.

수 막대의 자리를 바꾸면
길이가 어떻게 돼?

| 2 | 5 |
| 5 | 2 |

수 막대의 자리를 바꾸어도 가로 길이는 같아요.

$2+5=\boxed{7}$
$5+2=\boxed{7}$

| 1 | 3 |
| 3 | 1 |

$1+3=\boxed{4}$
$3+1=\boxed{4}$

| 4 | 2 |
| 2 | 4 |

$4+2=\boxed{6}$
$2+4=\boxed{6}$

| 4 | 5 |
| 5 | 4 |

$4+5=\boxed{9}$
$5+4=\boxed{9}$

두 수를 바꾸어 더해도 합은 같아.
●+▲=▲+●

✚ 큰 수와 작은 수의 자리를 바꾸어 덧셈을 하세요.

$2+3=\boxed{5}$
$\boxed{3}+\boxed{2}=\boxed{5}$

어느 것이 더하야?
1+6   6+1

$3+4=\boxed{7}$
$\boxed{4}+\boxed{3}=\boxed{7}$

$2+6=\boxed{8}$
$\boxed{6}+\boxed{2}=\boxed{8}$

뒷수가 더 큰 덧셈은
이제부터 뒷수부터 더하자.

$2+\mathbf{6}$

✚ 빈칸에 알맞은 수를 쓰세요.

$5+2=2+\boxed{5}$ $1+\boxed{8}=8+1$

$\boxed{3}+4=4+3$ $2+6=\boxed{6}+2$

20.2주

21

2일 합이 9까지의 덧셈 연습 으로 덧셈 실력을 높여 볼까?

월 일

✚ 덧셈을 하세요.

$5+2=\boxed{7}$ $4+1=\boxed{5}$

$2+4=\boxed{6}$ $6+3=\boxed{9}$

0은 더하나
마나야.

$8+0=\boxed{8}$ $0+2=\boxed{2}$

$4+5=\boxed{9}$ $1+6=\boxed{7}$

✚ 다음 중 옳은 것에 모두 ○표 하세요.

| $4+3=8$ | $5+4=9$ | $2+6=7$ |

| $1+4=6$ | $3+3=6$ |

✚ 올바른 계산 결과를 따라 길을 그리세요.

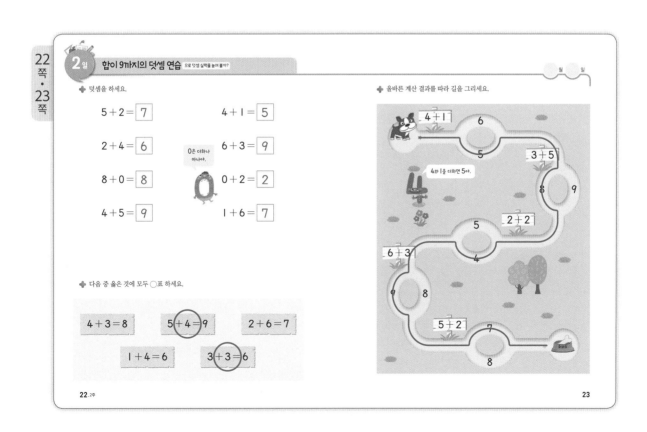

4+1
6
5
3+5
8   9
4와 1을 더하면 5야.
2+2
5
6+3
4
7   8
5+2
7
8

22.2주

23

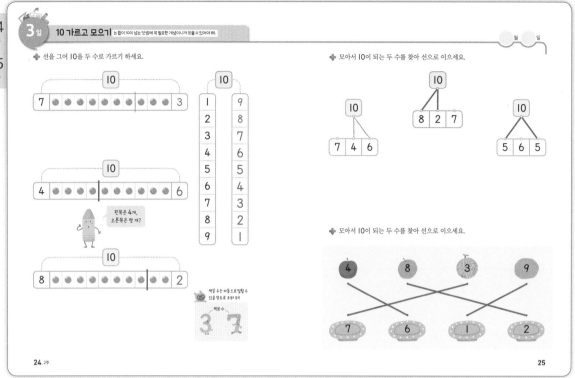

3일 10 가르고 모으기

합이 10이 넘는 덧셈에 꼭 필요한 개념이니까 외울 수 있어야 해요.

월 일

선을 그어 10을 두 수로 가르기 하세요.

모아서 10이 되는 두 수를 찾아 선으로 이으세요.

모아서 10이 되는 두 수를 찾아 선으로 이으세요.

24.2주 25

4일 10이 되는 더하기

10이 되는 나머지 수 하나를 찾아볼래?

월 일

그림을 보고 빈칸에 알맞은 수를 쓰세요.

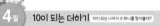

한 줄은 모두 10칸이야.

$9 + \boxed{1} = 10$

$8 + \boxed{2} = 10$

$7 + \boxed{3} = 10$

$6 + \boxed{4} = 10$

$5 + \boxed{5} = 10$

$1 + \boxed{9} = 10$

$2 + \boxed{8} = 10$

$3 + \boxed{7} = 10$

$4 + \boxed{6} = 10$

$5 + \boxed{5} = 10$

○를 그려 빈칸에 알맞은 수를 구하세요.

$7 + \boxed{3} = 10$

10판 중에서 빈칸의 수는 3판이에요.

$4 + \boxed{6} = 10$

$5 + \boxed{5} = 10$

$8 + \boxed{2} = 10$

화살이 모두 10점에 맞았어요. □ 안에 알맞은 수를 쓰세요.

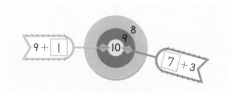

26.2주 27

6

5일 **10이 되는 더하기 연습** 짝꿍 수는 다 외웠니? 잘 외웠는지 확인해 볼까?

월 일

✚ 빈칸에 알맞은 수를 쓰세요.

$6 + \boxed{4} = 10$ $2 + \boxed{8} = 10$

$\boxed{5} + 5 = 10$ $\boxed{3} + 7 = 10$

$9 + \boxed{1} = 10$ $4 + \boxed{6} = 10$

10 가르기 잊지 않았지?

✚ □ 안에 알맞은 수가 가장 큰 배에 ○표, 가장 작은 배에 △표 하세요.

$5 + \boxed{5} = 10$ △

$4 + \boxed{6} = 10$

$3 + \boxed{7} = 10$

$2 + \boxed{8} = 10$ ○

✚ 합이 10이 되는 두 수를 찾아 ○표 하세요.

짝꿍수를 찾아봐.

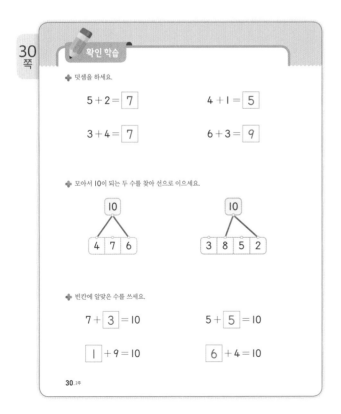

✏ **확인 학습**

✚ 덧셈을 하세요.

$5 + 2 = \boxed{7}$ $4 + 1 = \boxed{5}$

$3 + 4 = \boxed{7}$ $6 + 3 = \boxed{9}$

✚ 모아서 10이 되는 두 수를 찾아 선으로 이으세요.

10
| 4 | 7 | 6 |

10
| 3 | 8 | 5 | 2 |

✚ 빈칸에 알맞은 수를 쓰세요.

$7 + \boxed{3} = 10$ $5 + \boxed{5} = 10$

$\boxed{1} + 9 = 10$ $\boxed{6} + 4 = 10$

2주

3주: 받아올림 있는 (몇)+(몇)

1일 10+몇, 몇+10 은 십몇이야

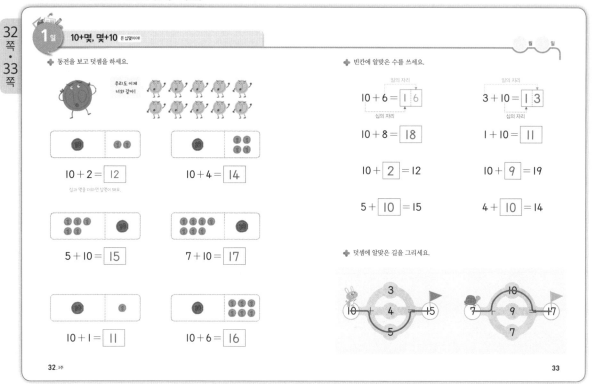

◆ 동전을 보고 덧셈을 하세요.

우리도 이제 너와 같아!

$10 + 2 = 12$

십과 몇을 더하면 십몇이 돼요.

$10 + 4 = 14$

$5 + 10 = 15$

$7 + 10 = 17$

$10 + 1 = 11$

$10 + 6 = 16$

◆ 빈칸에 알맞은 수를 쓰세요.

일의 자리

$10 + 6 = 16$

십의 자리

$10 + 8 = 18$

$10 + 2 = 12$

$5 + 10 = 15$

일의 자리

$3 + 10 = 13$

십의 자리

$1 + 10 = 11$

$10 + 9 = 19$

$4 + 10 = 14$

◆ 덧셈에 알맞은 길을 그리세요.

$10 + 4 = 15$ (3, 4, 5)

$7 + 9 = 17$ (10, 9, 7)

32.3주

33

2일 10 찾아 세 수 더하기 는 받아올림이 있는 두 수의 덧셈에 필요한 개념이야.

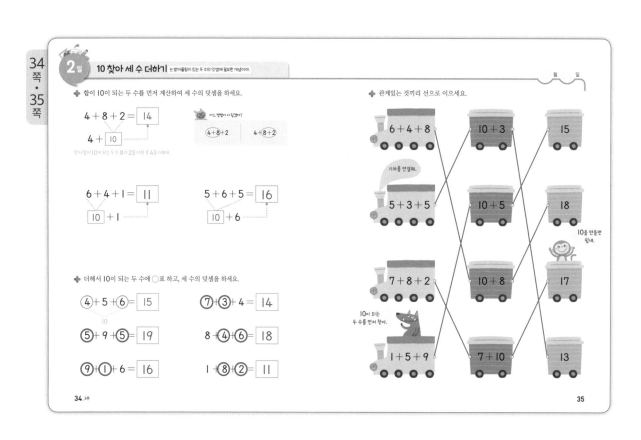

◆ 합이 10이 되는 두 수를 먼저 계산하여 세 수의 덧셈을 하세요.

$4 + 8 + 2 = 14$

$4 + 10$

어느 방법이 더 쉬울까?

$4+8+2$ | $4+8+2$

먼저 합이 10이 되는 두 수 8과 2를 더한 후 4를 더해요.

$6 + 4 + 1 = 11$

$10 + 1$

$5 + 6 + 5 = 16$

$10 + 6$

◆ 더해서 10이 되는 두 수에 ○표 하고, 세 수의 덧셈을 하세요.

④ + 5 + ⑥ = 15

10

⑤ + 9 + ⑤ = 19

⑨ + ① + 6 = 16

⑦ + ③ + 4 = 14

8 + ④ + ⑥ = 18

1 + ⑧ + ② = 11

◆ 관계있는 것끼리 선으로 이으세요.

기차를 연결해.

$6+4+8$

$5+3+5$

$7+8+2$

10이 되는 두 수를 먼저 찾아.

$1+5+9$

$10+3$

$10+5$

$10+8$

$7+10$

15

18

10을 만들면 쉽네.

17

13

34.3주

35

8

3일 10 만들어 더하기(1) 는 뒷수를 갈라 앞수를 10으로 만들어 더하는 방법이야.

✚ 앞수와 더하여 10이 되도록 뒷수를 갈라 덧셈을 하세요.

앞수 8이 10이 되려면 2가 필요해.

5를 2와 3으로 갈라!

$8 + 5 = 13$

$\boxed{2}\ \boxed{3} = 10 + \boxed{3}$

$9 + 6 = 15$

$\boxed{1}\ \boxed{5} = 10 + \boxed{5}$

$7 + 4 = 11$

$\boxed{3}\ \boxed{1} = 10 + \boxed{1}$

✚ 앞수와 더하여 10이 되도록 뒷수를 가르기 하세요.

$9 + 4$ 　 $8 + 6$ 　 $7 + 5$

$\boxed{1}\ \boxed{3}$ 　 $\boxed{2}\ \boxed{4}$ 　 $\boxed{3}\ \boxed{2}$

✚ 뒷수를 가르기 하여 덧셈을 하세요.

$8 + 6 = \boxed{14}$　　$7 + 6 = \boxed{13}$
　 2　 3　　　　　　3　 3

$9 + 7 = \boxed{16}$　　$8 + 3 = \boxed{11}$
　 1　 6　　　　　　2　 1

앞수가 뒷수보다 클 때는 앞수를 10으로 만들어 더해요.
(큰 수) + (작은 수) = 10 + 몇

✚ 빈칸에 알맞은 수를 쓰세요.

$\boxed{9}\ \xrightarrow{+6}\ \boxed{15}$

$+1\downarrow\qquad\uparrow+5$

$\boxed{10}$

$\boxed{8}\ \xrightarrow{+5}\ \boxed{13}$

$+2\downarrow\qquad\uparrow+3$

$\boxed{10}$

9+6은 9+1+5와 같구나.

4일 10 만들어 더하기(2) 는 앞수를 갈라 뒷수를 10으로 만들어 더하는 방법이야.

✚ 뒷수와 더하여 10이 되도록 앞수를 갈라 덧셈을 하세요.

뒷수 9가 10이 되려면 1이 필요해.

4를 1과 3으로 갈라!

$4 + 9 = 13$

$\boxed{3}\ \boxed{1} = \boxed{3} + 10$

$5 + 7 = 12$

$\boxed{2}\ \boxed{3} = \boxed{2} + 10$

$3 + 8 = 11$

$\boxed{1}\ \boxed{2} = \boxed{1} + 10$

✚ 뒷수와 더하여 10이 되도록 앞수를 가르기 하세요.

$6 + 8$ 　 $3 + 9$ 　 $4 + 7$

$\boxed{4}\ \boxed{2}$ 　 $\boxed{2}\ \boxed{1}$ 　 $\boxed{1}\ \boxed{3}$

✚ 뒷수와 더하여 10이 되도록 앞수를 갈라 덧셈을 하세요.

$5 + 9 = \boxed{14}$　　$4 + 8 = \boxed{12}$
　 4　 1　　　　　　2　 2

$6 + 7 = \boxed{13}$　　$6 + 9 = \boxed{15}$
　 3　 3　　　　　　5　 1

뒷수가 앞수보다 크면 뒷수를 10으로 만들어 더해요.
(작은 수) + (큰 수) = 몇 + 10

✚ 관계있는 것끼리 선으로 이으세요.

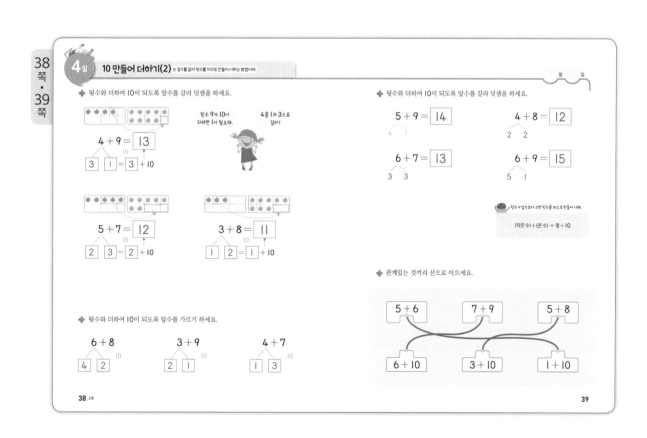

$5 + 6$　　$7 + 9$　　$5 + 8$

$6 + 10$　　$3 + 10$　　$1 + 10$

5일 10 만들어 더하기 연습
큰 수를 10으로 만들어 더하는 게 더 쉬워. 작은 수를 갈라 봐!

40쪽 · 41쪽

월 일

♣ 작은 수를 갈라 큰 수를 10으로 만들어 덧셈을 하세요.

$9 + 3 = \boxed{12}$
1 2

$5 + 8 = \boxed{13}$
3 2

$5 + 7 = \boxed{12}$
2 3

$8 + 6 = \boxed{14}$
2 4

$9 + 6 = \boxed{15}$
1 5

$4 + 7 = \boxed{11}$
1 3

왜 작은 수를 갈라야 해?

큰 수를 가르는 것은 더 복잡하기 때문이야
$9+3$ $9+3$
1 2   2 7

♣ 계산을 하여 ○ 안의 수가 되는 식에 색칠하세요.

14
8+4
5+9

11
5+6
7+6

13
6+8
9+4

♣ 같은 모양끼리 선으로 잇고, 두 수의 합을 같은 모양 안에 쓰세요.

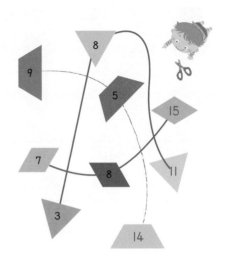

8
9
5
15
7
8
11
3
14

40.3주

41

확인 학습

42쪽

♣ 빈칸에 알맞은 수를 쓰세요.

$10 + 2 = \boxed{12}$

$8 + 10 = \boxed{18}$

$10 + \boxed{5} = 15$

$10 + \boxed{9} = 19$

♣ 더해서 10이 되는 두 수에 ○표 하고, 세 수의 덧셈을 하세요.

$⑧ + 3 + ② = \boxed{13}$

$7 + ④ + ⑥ = \boxed{17}$

♣ 작은 수를 갈라 큰 수를 10으로 만들어 덧셈을 하세요.

$9 + 5 = \boxed{14}$
10
1 4

$4 + 7 = \boxed{11}$
1 3
10

3주

42.3주

10

4주: 덧셈구구표와 ☐가 있는 덧셈

1일 덧셈구구 연습 ~~큰 수가 10이 되려면 작은 수에서 얼마를 주면 될까?~~

＋ 작은 수에서 큰 수로 수를 주어 10을 만들어 덧셈을 하세요.

$9 + 4 = \boxed{13}$

$7 + 5 = \boxed{12}$

$8 + 3 = \boxed{11}$

$9 + 6 = \boxed{15}$

$5 + 7 = \boxed{12}$

$2 + 9 = \boxed{11}$

$6 + 8 = \boxed{14}$

$4 + 9 = \boxed{13}$

＋ 덧셈을 하여 로켓과 행성을 선으로 이으세요.

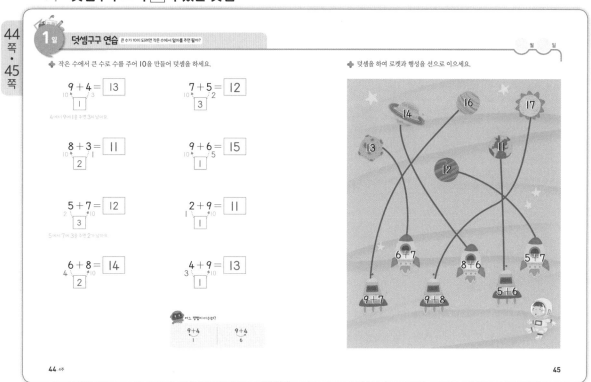

2일 덧셈구구표 한눈에 보기 ~~81개의 한 자리 수의 덧셈을 표로 정리해 보자~~

＋ 덧셈구구표를 완성하세요.

+	1	2	3	4	5	6	7	8	9
1	2	3	4	5	6	7	8	9	10
2	3	4	5	6	7	8	9	10	11
3	4	5	6	7	8	9	10	11	12
4	5	6	7	8	9	10	11	12	13
5	6	7	8	9	10	11	12	13	14
6	7	8	9	10	11	12	13	14	15
7	8	9	10	11	12	13	14	15	16
8	9	10	11	12	13	14	15	16	17
9	10	11	12	13	14	15	16	17	18

오른쪽과 같은 규칙이 숨어 있어.

┌─ 규칙 ─────────────────
① → 방향으로 갈수록 1씩 커집니다.
② ↑ 방향으로 갈수록 1씩 작아집니다.
③ ↘ 방향으로 갈수록 2씩 커집니다.
④ ↙ 방향으로 같은 수들이 놓여 있습니다.
└─────────────────────

＋ 덧셈표를 완성하세요.

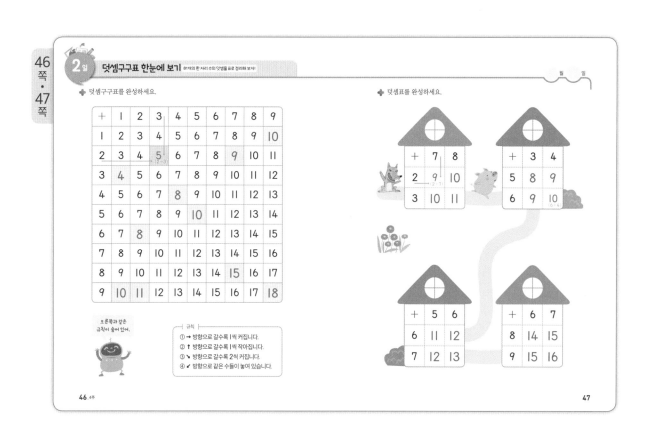

3일 □가 있는 덧셈구구 덧셈구구를 잘 하려면 □가 있는 덧셈구구도 잘 할 수 있어야 해.

월 일

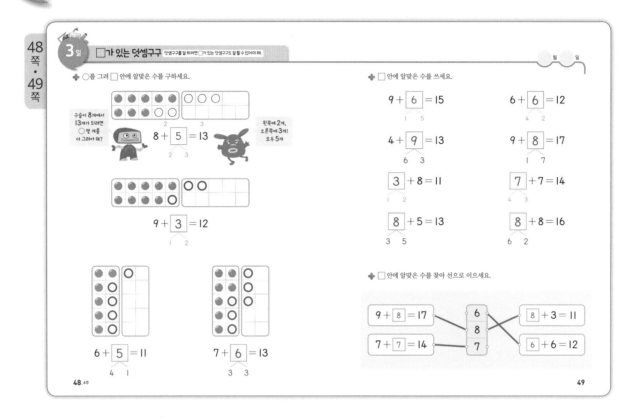

4일 □가 있는 덧셈구구 연습 으로 덧셈구구 실력을 더 탄탄히 다져 보자!

월 일

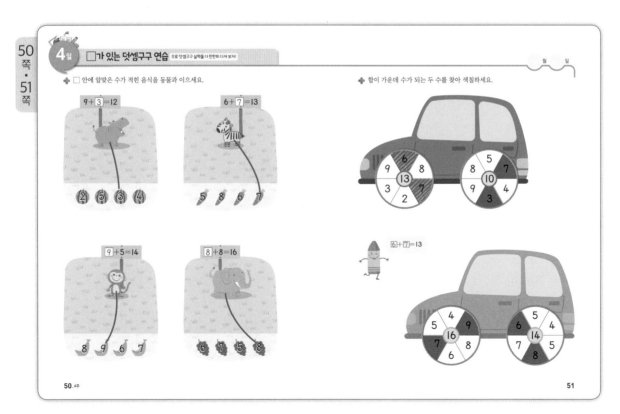

5일 **세 수의 덧셈** 더하는 순서를 바꾸어도 세 수의 덧셈 결과는 같아.

월 일

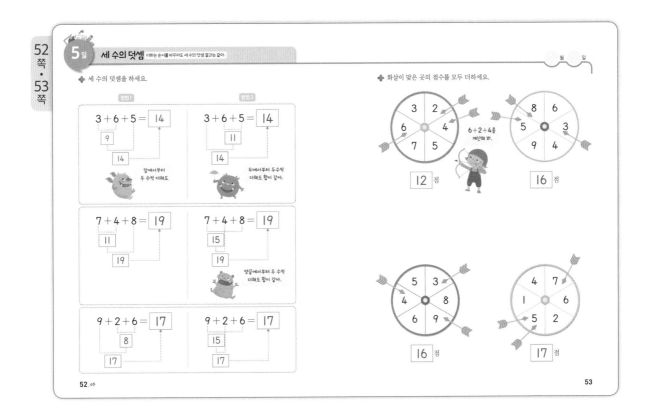

➕ 세 수의 덧셈을 하세요.

방법1

$3+6+5=\boxed{14}$
$\boxed{9}$
$\boxed{14}$
앞에서부터
두 수씩 더해도

방법2

$3+6+5=\boxed{14}$
$\boxed{11}$
$\boxed{14}$
뒤에서부터 두 수씩
더해도 합이 같아.

$7+4+8=\boxed{19}$
$\boxed{11}$
$\boxed{19}$

$7+4+8=\boxed{19}$
$\boxed{15}$
$\boxed{19}$
양끝에서부터 두 수씩
더해도 합이 같아.

$9+2+6=\boxed{17}$
$\boxed{8}$
$\boxed{17}$

$9+2+6=\boxed{17}$
$\boxed{15}$
$\boxed{17}$

➕ 화살이 맞은 곳의 점수를 모두 더하세요.

$6+2+4$를
계산해 봐.

$\boxed{12}$ 점

$\boxed{16}$ 점

$\boxed{16}$ 점

$\boxed{17}$ 점

✏️ **확인 학습**

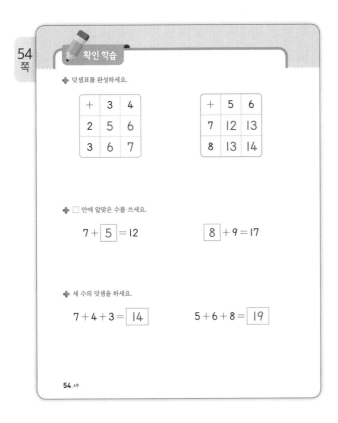

➕ 덧셈표를 완성하세요.

+	3	4
2	5	6
3	6	7

+	5	6
7	12	13
8	13	14

➕ ☐ 안에 알맞은 수를 쓰세요.

$7+\boxed{5}=12$

$\boxed{8}+9=17$

➕ 세 수의 덧셈을 하세요.

$7+4+3=\boxed{14}$

$5+6+8=\boxed{19}$

4주

정답

마무리 평가

1회 마무리 평가

제한 시간: 5분 | 맞은 개수: /11개

모으기와 가르기를 하세요.

❶ 2 1
3

❷ 3 4
7

❸ 6
3 3

❹ 8
6 2

수를 바꾸어 써서 덧셈을 하세요.

❺ 1 + 4 = 5
4 + 1 = 5

❻ 2 + 7 = 9
7 + 2 = 9

□ 안에 알맞은 수를 오른쪽에서 찾아 색칠하세요.

❼ 10 + 7 = 17 | 14 | 10 | 7 | 15 | **17** | 13 |

❽ 10 + 3 = 13 | 6 | 15 | 7 | **3** | 17 | 16 |

❾ 9 + 10 = 19 | 1 | 19 | 12 | 11 | 8 | **10** |

작은 수에서 큰 수로 수를 주어 10을 만들어 덧셈을 하세요.

❿ 9 + 3 = 12
1 2

⓫ 5 + 8 = 13
3 2

2회 마무리 평가

제한 시간: 5분 | 맞은 개수: /11개

8을 여러 가지 방법으로 가르기를 하세요.

❶ 8
7 1

❷ 8
2 6

❸ 8
4 4

덧셈을 하세요.

❹ 3 + 2 = 5

❺ 6 + 3 = 9

❻ 4 + 4 = 8

❼ 2 + 5 = 7

더해서 10이 되는 두 수를 찾아 ○표 하고, 세 수의 덧셈을 하세요.

❽ ⑥ + 3 + ④ = 13

❾ 7 + ⑤ + ⑤ = 17

덧셈표를 완성하세요.

❿
+	1	2
6	7	8
7	8	9

⓫
+	8	9
7	15	16
8	16	17

14

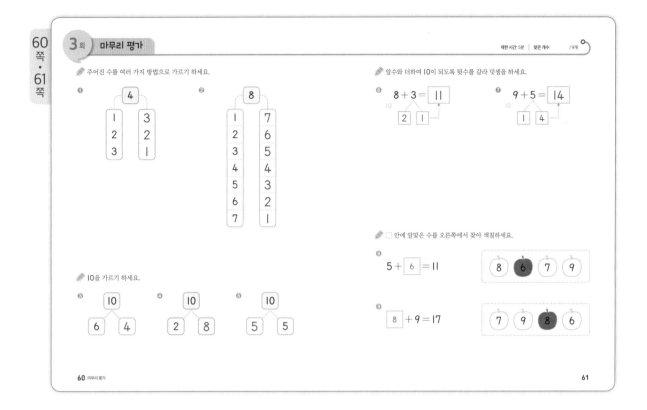

3회 마무리 평가

제한 시간: 5분 | 맞은 개수: / 9개

주어진 수를 여러 가지 방법으로 가르기 하세요.

❶ 4 | 1 2 3 | 3 2 1

❷ 8 | 1 2 3 4 5 6 7 | 7 6 5 4 3 2 1

10을 가르기 하세요.

❸ 10 | 6 4

❹ 10 | 2 8

❺ 10 | 5 5

앞수와 더하여 10이 되도록 뒷수를 갈라 덧셈을 하세요.

❻ 8 + 3 = 11 | 2 1

❼ 9 + 5 = 14 | 1 4

□ 안에 알맞은 수를 오른쪽에서 찾아 색칠하세요.

❽ 5 + 6 = 11 | 8 ⑥ 7 9

❾ 8 + 9 = 17 | 7 9 ⑧ 6

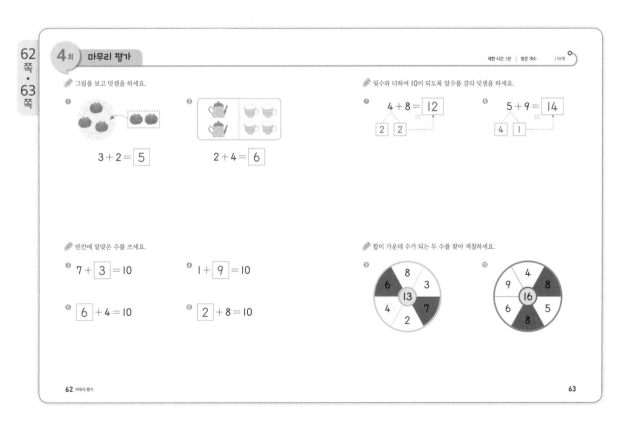

4회 마무리 평가

제한 시간: 5분 | 맞은 개수: / 10개

그림을 보고 덧셈을 하세요.

❶ 3 + 2 = 5

❷ 2 + 4 = 6

빈칸에 알맞은 수를 쓰세요.

❸ 7 + 3 = 10

❹ 1 + 9 = 10

❺ 6 + 4 = 10

❻ 2 + 8 = 10

뒷수와 더하여 10이 되도록 앞수를 갈라 덧셈을 하세요.

❼ 4 + 8 = 12 | 2 2

❽ 5 + 9 = 14 | 4 1

합이 가운데 수가 되는 두 수를 찾아 색칠하세요.

❾ 13 : 6 8 3 4 7 2

❿ 16 : 9 4 8 6 8 5

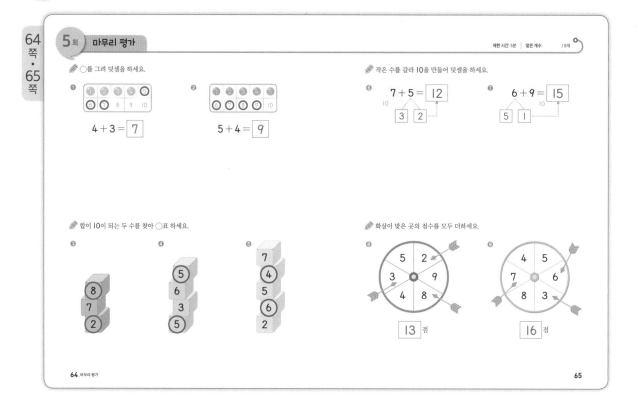

64쪽 · 65쪽

제한 시간 5분 | 맞은 개수: /9개

○를 그려 덧셈을 하세요.

① 4+3 = 7

② 5+4 = 9

작은 수를 갈라 10을 만들어 덧셈을 하세요.

⑥ 7+5 = 12
3 2

⑦ 6+9 = 15
5 1

합이 10이 되는 두 수를 찾아 ○표 하세요.

③ 8 7 2

④ 5 6 3 5

⑤ 7 4 5 6 2

화살이 맞은 곳의 점수를 모두 더하세요.

⑧ 13 점

⑨ 16 점

64 .마무리 평가

65

실력 평가

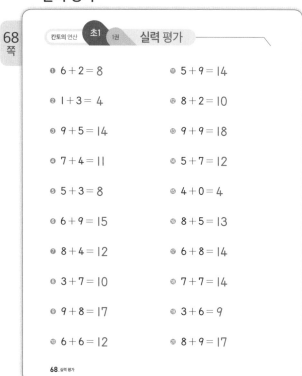

68쪽

① 6+2 = 8

② 1+3 = 4

③ 9+5 = 14

④ 7+4 = 11

⑤ 5+3 = 8

⑥ 6+9 = 15

⑦ 8+4 = 12

⑧ 3+7 = 10

⑨ 9+8 = 17

⑩ 6+6 = 12

⑪ 5+9 = 14

⑫ 8+2 = 10

⑬ 9+9 = 18

⑭ 5+7 = 12

⑮ 4+0 = 4

⑯ 8+5 = 13

⑰ 6+8 = 14

⑱ 7+7 = 14

⑲ 3+6 = 9

⑳ 8+9 = 17

68 .실력 평가

16

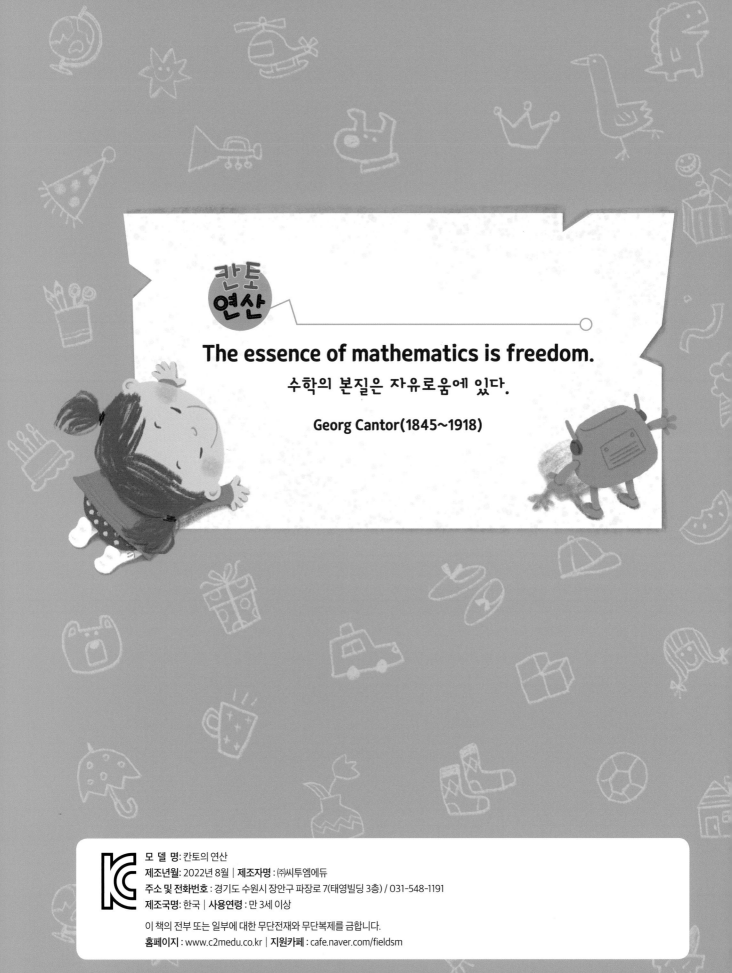

The essence of mathematics is freedom.

수학의 본질은 자유로움에 있다.

Georg Cantor(1845~1918)

모 델 명 : 칸토의 연산
제조년월 : 2022년 8월 | **제조자명** : ㈜씨투엠에듀
주소 및 전화번호 : 경기도 수원시 장안구 파장로 7(태영빌딩 3층) / 031-548-1191
제조국명 : 한국 | **사용연령** : 만 3세 이상

홈페이지 : www.c2medu.co.kr | **지원카페** : cafe.naver.com/fieldsm